岩波現代文庫

社会 24

加藤周一

読書術

JN276372

岩波書店

まえがき

どういう本を読んだらよかろうか、ということは、一般的には決められません。どういう女を口説いたらよかろうか、という、だれにも通用する標準などあるはずがないのと同じことです。口説く相手は、時と場合、その人によって違うでしょう。美人の標準をメートル単位ではかって決めて、第一位に賞品を授与するのは勝手ですが、それとこれとは話が違う。第一位だから口説く、第十位だから口説かないというものではないでしょう。

たとえば、歴史的にみて影響の大きかった本を考えることはできる。だから、それを読んだほうがよかろう、というものではありません。『源氏物語』の影響は大きかった、ということにだれも異存はないとして、いまの日本の小説家のなかで、『源氏』を読んだ人を数えるほうが、一度も読まなかった人を数えるよりも、よほどはやいでしょう。小説家でさえも、――まして一般の読者は、ということになります。

なにも文芸だけが読書の対象ではありません。文芸にはとにかく古典というものがあるけれども、自然科学や社会科学では、同じ意味で古典を考えることはむずかしいと思います。また現代人の読むものの大きな部分は新聞・雑誌でしょう。一般に読書の話をする以上、そういうものの全体を考えるのが当然です。じじつ、この本のなかで具体的な例としてあげてあるのは、文芸ばかりでなく、自然科学、社会科学、歴史、哲学、新聞・雑誌のすべてにわたっています。そこで、どういうものを読んだらよろしいか、ということは、論じようがない。そういうことは論じてありません。

しかし、どういう女を口説いたらよかろうか、ということが一般的に言えないとしても、それはかならずしも、どう女を口説いたらよかろうか、という議論ができないということではありません。古来「手練手管」というものがある。古来、女心というものがある以上、それがあたりまえのことでしょう。なにを読んだらよいかは、一般論として成りたたない。どう読んだらよいかは、一般論としても成りたちます。すなわち「読書術」です。相手によって、こちらの方策も変えなければならないでしょうし、こちらの望みによって、とるべき手段を考える必要もあるでしょう。しかしとにかく、あの手、この手を考えることができるはずです。

この本は、いわば本という相手に対して私が用いてきたあの手、この手を、だれにもわかりやすく書いたつもりです。しかし、だれにもわかりやすいこととは、はっきり表現されたことにほかならず、はっきり表現されたこととは、古人も言ったように「よく考えられたこと」にほかならないでしょう。読書においていちばん大切なことだ、といってもよいかもしれません。少なくとも、私はそのつもりで書いたので、――その結果は読者の判定しだいということになるでしょう。

私は、手あたりしだいに本を読んで、長い時を過ごしてきました。そういうのを世の中では「乱読」というようです。「乱読」の弊《へい》――しかし、そんなことを私は信じません。「乱読」は私の人生の一部で、人生の一部は、機械の部品のように不都合だから取りかえるというような簡単なものではない。「乱読」の弊害などというものはなく、ただ、そのたのしみがあるのです。「手練手管」の公開、すなわち、わがたのしみの公開ということでしょうか。

一九六二年九月三十日

カナダのブリティッシュ・コロンビア大学にて

加藤周一

目　次

I　どこで読むか

1　寝てもさめても

映画やテレビも本には勝てぬ

テレビが普及して、映画を見る人が少なくなったというのはほんとうです。「視聴覚文化」が盛大におもむき、本を読む人が少なくなるだろう、というのは、どうもほんとうらしくありません。——ということは、およそ常識からも察せられるでしょう。

そもそもテレビの最大の作用は、出好きな人びとを家庭に足止めすることです。「ぼくは家へ帰る」と一昔まえにいえば、だれでも「山の神」か、もしそれが青少年ならば、良家の「しつけ」の厳しさを考えさせたものです。いまでは良家というものがあるのかないのかはっきりせず、「山の神」の実体は変わらないとしても、少なくともその言葉は流行《はや》りません。「ぼくは帰る」という知人があれば、「野球」か「相撲」の番組をどうしても家に帰って見たいのだろうと想像するのがふつうでしょう。現に私は最近信仰の厚いある婦人と、お寺回りをしたことがあります。ところがちょうどその日は相撲の初日であり、夕方にはそのテレビ放送があるはずでした。町から遠く離れた寺を巡りながら、にわかに老婦人は、「私は先に家に帰りましょう」と言われました。野球は、または相撲は信仰よりも強し、などという駄洒落ではありません。私の言いたいのは、テレビが人を自宅へ送り帰す作用、すなわち、その反外出作用とでもいうべきものの、どれほど強いかということです。映画は外で見るものだが、本は自宅で読むものです。強力な反外出作用は、映画に不利で、読書に有利なはずでしょう。読書を妨げるものがあるとすれば、それは外出を妨げるテレビではなく、外出をすすめるゴルフや自動車や飲み屋やおよそそういう設備万端だろうと思われます。

娯楽としてのテレビと映画とはたいへんよく似ています。見るほうが受け身で、すわっていれば画面のほうがこちらを適当に料理してくれます。それほど似ているから、どちらか一方でたくさんだという考えのおこるのも、むしろ当然のことでしょう。ところが本を読むのにはいくらか読む側に努力がいります。また読む速さをこちらが加減することもできるし、つまらぬところを省くこともできる。おもしろいところを二度読むこともできるし、むかしの人の言ったようにしばらく巻をおいて長嘆息《ちょうたんそく》することもできます。そういう本を読みながらできることは、映画やテレビを見物しながらは、どうしてもできません。要するに本を読むときのほうが、読む側の自由が大きい、自分の意志や努力で決めることのできる範囲が広い、つまり態度が積極的だということになるでしょう。「きょうは疲れたから映画でも見ようか」とはいいますが、「疲れたから本でも読もうか」という人があまりいないのはそのためであり、そもそも読書法ということは成りたっても、映画・テレビ見物法ということが意味をなさないのもそのためです。一方は受け身のたのしみ、他方は積極的なたのしみで、受け身のたのしみが増えるということは、かならずしも積極的なたのしみを求めなくなるということではありません。娯楽の性質がまったく違うから、いわゆる視聴覚「文化」または「娯楽」は、読書のたのしみを妨げるものではないでしょう。

しかしテレビには娯楽番組のほかに、いくらか知的好奇心を刺激する番組もあります。たとえば憲法についての座談会とか、ダム建設工事現場の写真とかいったものが「憲法」や「ダム建設」に対する好奇心を刺激します。しかし、その好奇心を十分に満足させるようなまとまった知識を与えてくれることは、ほとんどありません。そこで「憲法」に関し、また「ダム建設」に関して、まとまった知識を読書によって得ようという欲求がおこっても、ふしぎではない。そうなればテレビは、読書を妨げないばかりでなく、むしろ助長するようにはたらくということになりましょう。少なくともそういう一面がありうると思います。

しかし、そもそも読書は、テレビ・映画の見物に似ていないとして、どういうほかの人間の行為に似ているのでしょうか。

読書は〝愛のいとなみ〟に通じる

むかしパリで私がある詩人の家に住んでいたとき、談たまたま寝床で読む本に触れたことがあります。「あなたは寝台で本を読まないのか」と私は言いました。「とんでもない」と詩人は言下に応じました。「寝台ですることは二つしかない、寝るか、愛するか」――しかし、私は詩人に賛成しません。読書はまさにその二つの行為に似ている第三の行為ではないでしょうか。

第一、読書は睡眠に似ています。開いた本のページだけを除けば、読書にも部屋は明るくない方がよいし、開放的であるよりは閉じた場所であった方がよいでしょう。そして睡眠にも読書にもいちばん大切な条件は、静かなことです。むかし一七世紀の西洋の哲学者は、アムステルダムに住み、パリの友人へ手紙を書いて、ここではよく本を読むことができるし、またよく眠ることができる、一日の睡眠は十時間だと言いました。また日本の一七世紀の詩人石川丈山《いしかわじょうざん》（一五八三―一六七二）は、京都東山の斜面に山荘と庭をつくり、晩年の三十年をそこで暮らしました。暮らしぶりはよほど静かであったらしく、鹿が来て庭を荒らすので、一定の間隔をおいて竹筒が岩を叩く「鹿追い」の装置をつくらなければならなかったほどです。丈山はよく古書を読みました。おそらくよく眠りもしたのでしょう。いまでも大図書館の静かな閲覧室へ行ってごらんなさい。そこにいる人びとの半分は読み、半分は眠っているでしょう。読書と睡眠との密接な関係は、けだし洋の東西を問わず、また古今に通じるのです。それならば、いっそ寝床で本を読んだほうが、好都合ではありませんか。

第二、読書はまた愛の行為に似ています。社会の全体から切り離されて、あなたはただひとりの相手との関係のみに生きる。その関係において、あなたは多かれ少なかれ積極的な役割を演じるので、けっして映画見物の場合のように、完全に受け身ではありえないでしょう。相手は策略を弄し、誘い、刺激し、伏線をはり、秘密を暗示しながら、それを明かさずにじらし、ついに秘密を明かすときにはその効果の最大であるように工夫をこらします。あなたが相手の策略を見破らない場合もあるでしょうが、見破ってあたかも見破らなかったように振舞う場合もあるでしょう。故意にわなに陥るのも、またたのしみの一つであり得るからです。読書と愛というこの二つの行為ほど似たものがほかにあるでしょうか。寝台をただその一方の目的にだけ使うのは、合理的な道具の使い方とはいえますまい。

本は寝て読むもの

たしかにむかしは端座《たんざ》書見《しょけん》ということが、理想としてありました。また実地にもいくらかあったかもしれません。江戸時代の学者の肖像画をみると、正座して書見台に向かっているのは多いけれども、寝ながら本を読んでいるのは、川柳ぐらいにしか出てこないようです。肖像画はもっぱら理想のほうを描いたのでしょう。しかし、この正座の姿勢が、不便・不自然であることはあきらかです。人間の身体の生理・解剖学的な条件によって、この姿勢では当然疲れやすい。訓練の結果慣れれば、苦痛が少なくなるということはありましょう。しかし、はじめからもっと楽な姿勢がほかにある以上、訓練してやっと苦痛が少なくなるだろうということだけでは、ことさらに不自然な姿勢を選んで理想とする理由にはならないでしょう。どうして、こういうだれにも不便で不自然な姿勢が、書見の姿勢の理想と考えられるようになったのでしょうか。

身体と精神とのあいだに密接な関係があるのは、歯が痛んでもろくにものを考えられないということからもあきらかです。小さな身体の障害は、たちまち精神の全注意力をそこにひきつけてしまいます。逆に感情の動揺は、身体にあらわれる。だからわれわれは、目に涙をうかべ、手に汗を握り、顔面を紅潮させるのです。そこまでは疑う余地のない事実でしょう。しかし、その先まで身体と精神との関係をつきつめて考えようとすると、各人一説とまではゆかないにしても、人によって説をなすところが違ってきます。その人によって違う意見を大別すれば、身体の精神に与える影響を強調する説と、精神の肉体に与える影響を強調する説と、およそ二つが考えられます。

一派の心理学者は、身体の精神に及ぼす影響を強調しました。たとえば祈る気になったからひざまずくのではなく、ひざまずくから祈る気になるのだという議論です。その流儀でゆくと、正座すれば、気分しずまり、精神ととのい、いざ書見をしようという心構えができあがるはずだということになります。仏家に座禅ということがあります。禅問答といえば、俗にわけのわからぬ問答を意味し、実際そういうことになり果てた場合も多いに違いないのですが、本来禅宗というものは、ただわけのわからぬものではなく、巧妙に設計された精神の訓練法であったようです。訓練の目的は、精神の平静を強い自制力によって獲得することであり、強い自制力を養う方法は、身体と精神との関係に注意して、まず身体の精神に及ぼす影響を利用しようということです。その利用の仕方は、一派の心理学者のいうところとまったくよく似ています。だから座禅ということがおこったといってよいでしょう。しかし、そういう考え方が、徳川時代の学者の正座書見のすすめの理由だったわけではありません。そういう考え方から、正座書見の理想を、ある程度まで合理化することもできるだろうということにすぎません。

徳川時代の儒家の一派は、むしろ精神の身体に及ぼす影響のほうを強調しました。「心《しん》学《がく》」という言葉が、よくそれを表わしているように、人間活動と森羅万象のすべては「心」に発する、心が正しければ、姿勢も正しくなるに違いないという考え方です。こういう「心」中心の考え方は、徳川時代に普及しました。徳川時代に普及したものは、たいてい明治以後にもつづいているので、いまでもそういう考え方が残っているとみてよいかもしれません。そこにもたしかに一理があるのです。しかし心が正しければ、姿勢も正しくなるだろうというとき、「心が正しい」のほうはしばらくおくとして、「姿勢が正しい」とはいったいどういうことでしょうか。むかしの中国人は「真《しん》は行《ぎょう》を生じ、行は草《そう》を生ず。真は立つが如く、行は行くが如く、草は走るが如し」(東坡《とうば》『志林《しりん》』)といいました。これは運動の場合で、書体の真行草を身体の立つ・行く・走るにたとえたのです。同じ筆法でゆけば、真は正座の如し、行は横ずわりの如し、草は寝たままの如し、ということになるでしょう。現に「どうかお楽に、ひざをおくずしください」といいます。書体の真から行に移り、行から草に移るのも、また「字をくずす」といいます。ところで、書体の真行草は、真が「正しく」、行・草が「まちがい」だということではありません。善《よ》し悪《あ》しという点からいえば、真行草のどれが善く、どれが悪いということはないはずです。要するに、たしかなことは、三つの違った字体があるという事実、またその三つのなかではおそらく真が基本であるらしいということだけです。正座・横ずわり・寝たままの三つの姿勢についても、たしかなことは、三つの違った姿勢があるという事実だけです。そのなかで正座が基本の姿勢であろうと推定するのは、風俗習慣に従うというだけのことで、ほかに理由はありません。いわんや善し悪しという点からみて、正座が寝たままよりも「より善い」と考えなければならない理由はまったくないのです。「正しい姿勢」というときの「正しい」は、どうも意味がはっきりしません。意味のはっきりしない文句には、あまり長くかかわらぬほうが、時間の経済というものでしょう。

机は不必要な道具です

なるほど身体と精神とのあいだには関係があります。しかし、その関係は第一にかぎられたものであり、第二にしばしば逆説的なものです。

「精神一到何事か成らざらん」――これはもちろん、身体に関するかぎり、たいへんな誇張だといわなければなりません。精神一到しても背の低い人が高くはならないし、太った人が痩せはしない。多くの伝染病をなおすには、どれほどきたえられた精神よりも、抗生物質の注射のほうがはるかに有効なのです。

「健全なる身体に健全なる精神が宿る」――これはもちろん、「健全なる精神」とはどんな精神かはっきりしない以上、ほとんど意味をなさない文句です。しかし、少なくとも知的な能力に関するかぎり、野球・拳闘・その他の運動選手たちの知力が、衆に秀でているというわけでもなさそうです。芸術的な創造力にいたっては、むしろ病人のほうがかえってよい仕事をするのではないかと想像させるような事情さえもあります。佐伯祐三《さえきゆうぞう》（洋画家、一八九八―一九二八）は若くて病死しました。夏目漱石（一八六七―一九一六）は胃病に苦しんでいました。内村鑑三（一八六一―一九三〇）は病弱の質だったようです。日本だけのことではありません。小説というものの概念を、根本的に変えるほどの仕事をしたドストエフスキイ（一八二一―八一）とマルセル・プルースト（一八七一―一九二二）は、二人とも病人でした。一方はてんかん病みで、他方はその生涯の仕事のほとんど全部を病室でやったのです。

読書は精神の仕事です。ゆえに「一読巻をおくこと能《あた》わず、寝食を忘る」といいます。

すでに寝食を忘れるとすれば、いっそ身体を忘れるのが読書の理想ではないでしょうか。しかし、どうすれば身体を忘れることができるでしょうか。もちろんいちばん楽な姿勢においてだろうと思います。どんな姿勢が、だれにとってもいちばん楽な姿勢でしょうか。寝台に横になるのもよく、深い椅子にかけるのもよいでしょう。畳にすわれば、あるいは柱にもたれ、あるいは机に片肘をつき、脚をくみかえて姿勢をかえるのが楽でしょう。とにかく端座書見でないことだけはたしかです。そもそも本を読むのに机はかならずしも必要な道具ではありません。

私は読書に机を用いる機会を必要やむをえない最小限度にとどめるのが、うまいやり方だろうと考えています。必要やむをえない場合とは、たとえば、読む本が重く大きくて、手に支えがたいとき、何冊かの本を同時に参照したり辞書の類《たぐい》を使うとき、また読みながら書いたり、ことに「タイプライター」を使うときなどです。そういうときには、机の前にすわっていたほうが便利です。そうでなければ、机の前に居ずまいを正す必要はないだろうと思います。

2 幾山河

ふしぎな世界への旅

しかし本を読むには自宅にかぎりません。たとえば図書館というものがあります。また研究所というものがある。そういうところは、本を読むための施設と言ってよいでしょうが、そのほかにも、たとえば事務所で本を読む機会は多いでしょう。仕事の性質によっては、商売のために、調査のために、いわゆる文献を読む必要もあるでしょう。また仕事のひまなときには、事務所でたのしみのために本を読むということも、少なくないだろうと思います。たとえば受付の人が小説に没頭して、われを忘れ、お客を忘れ、話をしかけると、びっくりして、なにを聞かれたのかわからないということがよくあります。

私は学生のころから、本を持たずに外出することはほとんどなかったし、いまでもありません。いつどんなことで偉い人に「ちょっと待ってくれたまえ」とかなんとかいわれ、一時間待たせられることにならないともかぎりません。そういうときにいくら相手が偉い人でも、こちらに備えがなければいらいらしてきます。ところが懐から一巻の森鷗外(一八六二―一九二二)をとり出して読みだせば、私のこれから会う人がたいていの偉い人でも、鷗外ほどではないのが普通です。待たせられるのが残念などころか、かえってその人が現われて、鷗外の語るところを中断されるのが、残念なくらいになってきます。なにも偉い人にかぎらず、この人生に私たちを待たせる相手は、いくらでもあるでしょう。その相手が歯医者でも、妙齢の婦人でも、いや、すべてこの国のあらゆる役所の窓口でも、私が待たせられていらいらするということは、ほとんどありません。次の急な約束をひかえていないかぎり、また、待つ場所が肉体的苦痛を与えるような場所でないかぎり、私はいつも血わき肉おどる本をもっていて、その本を読むことは、歯の治療や、役所の届け出や、妙齢だが頭の鋭くない婦人との会談よりは、はるかにおもしろいからです。

しかしなんといっても、自宅を別にすれば、外出して本を読む機会がいちばん多いのは、交通機関のなかだろうと思います。ことに旅へ出かけるときに、なにかの読みものを持って行く人は多いでしょう。

旅で本を読むのは、ただ乗りもののなかでひまな時間が多いからというだけではありません。読むことと旅をすることとのあいだには、いかにも深い因縁があります。旅は私たちを、いつも見慣れた風景や、知人の顔や、生活や、またある程度までは、いつも経験している心配ごとや、希望からさえも、多かれ少なかれ切り離して、見慣れないもう一つの世界へ連れて行きます。同じように、本を読むということは、活字を通していくらかの想像力を働かせ、私たちの身のまわりの世界から、多かれ少なかれ違う別のもう一つの世界へはいって行くことです。その世界では、美男美女が、この世のものならぬ恋をしているかもしれないし、英雄・豪傑が、血わき肉おどる冒険をしているかもしれません。また鳥ならぬ身の飛びたちかねる遠い国の奇妙な風俗や、天の川のかなたの宇宙や、目には見えぬ極微の世界のふしぎがあるかもしれません。いずれにしても、旅へ出かけること、本を開いて最初のページを読むことは、身のまわりの世界からの出発です。旅と読書はそもそものはじめから、気分のうえでよく重なっているのです。

読書の能率があがる場所

しかし旅で実際に本を読むには、行きついた先のことはしばらく別として、乗りものも選ばなければなりません。また乗りものの種類によって、読む本の種類——でなければ、少なくとも読む本の重さが変わってくるでしょう。そもそも旅にかぎらず、この世の中で読書にもっともふさわしい場所は、私の知るかぎり、外洋航路の船、それも客船よりは貨物船だと思います。客船には、まず第一に大勢の人が乗っている。航海が長ければ、つきあいも深浅さまざま、悲喜こもごもに発展するかもしれない。また娯楽の設備もあり、水泳とか、映画とか、そういうひまつぶしの手段が備わっているのがふつうです。航海も予定どおりに進んで、思いがけないひまのできる可能性はまずないといってよいでしょう。ところが貨物船にはお客が少なくて、ふつうは四、五人のことが多い。船は荷物を主として人間のためのものではないから、むろん娯楽の設備はないし、航海さえも積み荷・揚荷の都合で、どの港へ寄り、どこへ長くとどまるか、あらかじめはっきりとは決まっていない。航海が長くなると、海の上で一月も、あるいはそれ以上も暮らすということになるでしょう。新聞もこない、ラジオもない、電話も訪客も勤めもない一カ月以上、要するに食べて寝るほかには、まったくなんにもすることがない――ただ一つの例外が、読書です。しかし、もちろん、遠洋航海はめったにできないことです。

私たちが、ふだんたびたびする旅行の乗りものは、新幹線や電車でしょう。これもまた読書にはこのうえもない場所です。本を書くのには揺れすぎて、しかも本を読むのには不都合でない程度にしか揺れません。現に電車のなかで、本や雑誌を読んでいる人はたくさんいるようです。もちろん隣のお客さんが話しかけるということもあるでしょう。そうすれば話に実がはいって、あるいは実がはいらなくても、礼儀のうえから相手になっているうちに、目的のところへ着いてしまうことが多い。その意味では、私の知るかぎり、イギリスの電車が一番読書に適していると思います。かの紳士国では、見ず知らずの他人に、だれもけっして話しかけようとはしないからです。もっとも外国人の場合、その国の言葉がわからなければ、どうせ話が成りたたないのだから、どこでも同じことかもしれません。話がまったく通じなければ、どんな話好きの相客でも、すぐにだまってしまうでしょう。しかし日本の電車ではそうはゆきません。話しかけられれば、いくらか相手にならないわけにゆかないでしょう。しかし総じてひどく込んでさえいなければ、清潔で明るい日本の公共交通機関は、まったく読書にとっては理想的な場所に近いと思われます。

飛行機旅行についていえば、ふつうは時間が短すぎて、あまり本を読むひまもないでしょう。しかし、荷物の重さ制限からはみ出して、目方を計らずに持ちこむことのできる手荷物には、小さな身のまわり品のほかに、旅行中の読みものが含まれています。本は重いので、荷物に入れるよりは、小脇にかかえて飛行中の読みものとしたほうがよろしい。本が大きく、重ければ重いほど、空中読書には好都合だということになりましょう。たとえばシェークスピア全集合本一冊。しかしこれは、もちろん、たとえ飛行機で世界を一周しても、読みきることはできません。

アメリカの自動車旅行

しかし最近、かの伝染病のごとく蔓延し、全国を風靡《ふうび》しようとしている自動車旅行は、読書という立場からいえば、もっとも不便な、もっともたのしみの少ない旅行の方法に違いありません。自動車を運転しながら、本を読むことはできない。せいぜいラジオを聞くか、半分うわの空で同乗の人と話をするか、多少の危険をおかしても、隣の女友だちの肩を抱くか、せいぜいその程度のことしかできないでしょう。バスならば、もちろん話は自由にできます。本を読むこともできなくはないけれども、「揺れますからご注意願います」という道路にさしかかれば、まずそれも不可能でしょう。アメリカ合衆国(以下アメリカとは合衆国のこと)には、自動車がたくさんあります。バスの安い旅行も発達しているけれども、それ以上にみずから車を運転して動きまわる人が多い。車を運転している人がながめるものは、本のページでないどころか、ほとんど景色でさえもありません。その大部分は道路標識や、信号や、前の車のテールランプでしょう。たいていのくだらない本でも、信号や前の車のテールランプよりは読者の知能を開発し、情操を養うために役立つはずです。国中の人間が自動車で走りまわっているアメリカに——いまではアメリカだけではありませんが――、いまでも文化が生きのこっているのは、まことにふしぎだという気がします。

日本製の〝通勤電車教室〟

しかし乗りものと私たちのつきあいは、旅にかぎったことではありません。あの毎日の通勤電車というものがあります。たとえば東京の都心の会社に勤めている人たちの大多数は、片道一時間から二時間のところに住んでいるようです。べつの言葉で言えば、少なくとも一日平均二時間は、通勤電車のなかで暮らしているということになります。一日平均二時間、月におよそ四十八時間、年に二十四日、おおざっぱにいえば、一年のうちの一カ月、私たちの人生のかなりの部分が、この通勤電車のなかですぎてゆきます。そこでなにをするかということは、まったく人生の大事――いかに生くべきかの根本問題につながってくるといってもよいでしょう。とても旅行のたのしみどころの騒ぎではありません。いったいそこではなにができるでしょうか。

通勤電車は込んでいます。十年前にも込んでいたし、いまでも込んでいます。おそらく十年後にも、込まなくなるだろうと想像する理由はまったくありません。この変わりゆく世の中で、もし変わらぬものがあるとすれば、富士の高嶺の雪と通勤電車の混雑ぐらいなものでしょう。そのなかで二時間立っている、いや、立っているだけではない、押しまくられ、押しかえし、汗水たらしているその私たちの目の前に、おそらく一枚の広告がぶらさがっていることでしょう。もちろん窓の外は見えません。たとえ見えても、同じ景色を一年中ながめていれば、だれでもあきてしまいます。乗客の顔も、まずたいていの場合には、ろくに見えない。そこでまず目の前の広告をながめているほかはないという仕儀にたちいたります。しかし、それを何度でも読み、ほとんど暗記するまで読むとして、ぶらさがっている一枚を片づけるのに、せいぜい十分ぐらいしかかからないでしょう。そのあとはどうにもならない。電車がもう少しすいているときには、新聞を読むこともできるし、席にかけている人は、現にたいていの人がそうしているように、週刊誌を読むこともできます。しかし立っているときには、新聞を読むことはできても、折りたたむことができない。週刊誌を読むことはできても反対側のページをはやくめくるのには、不便このうえもないでしょう。

どうすればこの短い人生に、一年に一カ月、立って押されている時間を、たのしみに、または休息に、または仕事に使うことができるでしょうか。しかしたのしむために、すし詰めの電車は好都合な場所ではないでしょう。だれでも我慢しているけれども、だれでも愉快なわけではないのです。また休息というわけにはもちろんゆきません。だいいち電車が動きだすたびに、相当の力がいります。そこで一年に一カ月、一生を通じて三年四年の歳月を、まったくむだに捨てたくないと思えば、すでにたのしみをあきらめ休息をあきらめた以上、その時間を何かに役立てるほかはありますまい。そのためのただ一つの方法は、なるべく小さな、片手で持てる、しかもページをめくる必要のない本を一冊持って電車に乗るという以外にはないでしょう。そういう本があるでしょうか。

しかし入学試験前の中学生や高校生たちは、そういう本があることを、よく知っているに違いありません。たとえば外国語の単語表の小さな活字で印刷したものを一ページ暗記するには、相当の時間がかかります。それでも一日二時間、一年に及んで、いちおう新聞を読むのにどうしても必要な単語を覚えきれない外国語というものはありません。「英語に強くなる通勤電車」とでもいうべきでしょうか。これが英語ではなくて、フランス語ならば、もっと好都合かもしれません。フランス語には、かなり面倒な動詞の変化表というものがあるからです。どうしてそういうものを覚えるのが面倒であるかといえば、そんなものを覚えるよりも、もっとましなことのできる社会で、棒暗記に時間を費やすことがばかばかしいからです。しかし、ほかのことがなんにもできない電車のなかでは、話が別でしょう。変化表を片手に持って電車に乗りこめば、ページをめくる必要はほとんどない。また、目の前に片手でささげた一ページを絶えず読む必要さえもなく、ときどき、チラリと見さえすればよろしいのです。あとは目をつぶって、口のなかでとなえていればよろしい。それでも第一、なんにもしないでぶらさがった広告を二十ぺん読み返しているよりは、退屈でないでしょう。また第二に、あとになってから本を読むときに、それがおおいに役立つでしょう。

電車通勤一年間で、ラテン語を覚えた男の話

第二次大戦のあいだ、私は東京の郊外から片道一時間半の東大病院へ毎日通っていました。そのころのある年の元旦、私はラテン語の文法を覚えようと思いたち、イギリスで出した『ラテン語文法捷径《しょうけい》』という小冊子二冊を買いました。この教科書は小さいばかりでなく、たいへんよくできていました。数の少ない単語を繰り返し使いながら、その組合わせによってラテン語文法の基本を説明し、羅文《らぶん》英訳、英文羅訳の問題を、説明のあとに豊富にとりそろえています。この教科書を使うのには辞書がいらず、用いられている単語のすべては巻末に説明してあります。私はこの本を手に入れて、郊外の私の家から大学病院

へ通う電車のなかでは、降っても照っても、すいていようとも込んでいようとも、かならずこの本を見る、そのかわり電車の外へ一歩出たらけっしてこの本をあけては見ない、という方針を立てました。さて、それを実行してみると、簡単な文法の説明を読むには十五分もかからない、そのあとにたくさんある練習問題をやるのには長い時間がかかりますが、ページをめくる必要はほとんどなく、そもそもページをながめる必要さえも、頭のなかで羅文を組みたてているかぎり必要がなかったのです。

私は元旦に立てた方針を一年間完全に実行することができました。翌年の元旦、古典文学を読み、私が文法的に理解できないところは、若干の異例にすぎず、多くの本ではそこに注釈があって、たいてい説明されているということを発見しました。そのとき私は、二冊の小冊子に書いてあるかぎりの文法的な規則を、ほとんど完全に知っていたのです。そのためには通勤電車の一年間で十分でした。ギリシャ語ならば二年かかったかもしれません。しかし私の自家製の「古典語文法通勤電車教室」でギリシャ語を始めて一年たたないうちに戦争が終わり、世の中は活気を取りもどし、見るもの聞くものすべてがおもしろく、私の好奇心を刺激するものが多くなりました。私はもはや毒にも薬にもならぬ西洋の古典語の文法に、興味を持ちつづけることができなくなってしまいました。

しかし、とにかく通勤電車が、そのほかのところでは容易に読めない本を読むことのできる場所であり、もし、そういうことを実行すれば、毎日二時間の規則性のゆえに、一年二年ののちには一定の知的能力を私たちに与えてくれるだろうということにまちがいはありません。「人生は短く芸術は長し」――これは「芸術家が死んでもその人の作った作品は永久に残るであろう」という意味ではなく、「短い人生でできることは少なく、努力をしても芸術というものに到達する長い道を行きつくすことは困難である」という意味のようです。なにも芸術にかぎらず、学問についても、またそのほかの、たとえば商売や政治の人間の活動でも、原則としては同じことがいえるのでしょう。

部屋の寒いときには、もちろん寒くないようにすること、たとえば暖房をととのえることが第一です。しかし、それができない場合には、寒さをなげいているよりも、寒い部屋のなかでもできる仕事を見つけて、その仕事に打ちこんだほうがよいでしょう。電車が込むときは、電車が込まないようにする工夫をしなければならない。同時に一人一人の人間にとっては、込んだ電車のなかでさえもできることを見つけて、それに精を出す工夫が必要でしょう。そして、多くの場合にできることは、読書だけであり、読書以外にはなにもないのです。

加藤式読書術

本を読む目的は、人により、時と場合によって違います。ひまつぶしに読むこともあり、たのしみのために読むこともあり、また必要な、あるいは不必要な知識を求めるために読むこともあるでしょう。たいていの人はそういう違った目的のために違った本を読んでいると思います。しかも知識を求めるといっても、その知識は、天地自然、人事百般にわたるわけで、「どういう本を読むべきか」という意味での読書法は成りたたない。仮に成りたつとしても、ただある人には通用し、そのほかの多くの人には通用しないということになりましょう。もし話を文学にかぎるとすれば、文学にはある程度まで古典というものがあります。しかし実際に広く行なわれている読書の大部分は、文学とはなんの関係もなく、人間の知的な生活のあらゆる領域にわたっているわけで、そのなかの多くの領域では古典というものがなく、また、たとえある意味で古典を考えることができる場合にも、それを読むことが少しも大事なことではないようです。

「なにを読むべきか」ということは、一般的にはいえません。しかし、どういう本であるにしても、それを「どう読んだらいいか」ということは、ある程度まではいえるでしょう。たとえば、同じ本を何度もゆっくり読む工夫、たくさんの本をはやく読む工夫――それでも、どうせ本は数かぎりなくあるので、本を読まずにすます法も、広い意味での読書法の一つになるかもしれません。また別の見方をすれば、「本を読んでわかる」とはどういうことか、私たちの読む対象のたいへん大きな部分を占めている新聞や雑誌をどう扱うか、また私たちが読む大部分の本は日本語で書かれているけれども、もし、それがほかの言葉で書かれているときには、そこにいくらかの読み方の工夫が必要であるかもしれません。要するに、本の読み方については、いくらか一般的な議論をすることもできるように思います。もちろん、その議論の仕方にも多くのやり方が考えられましょう。私は私なりの考え方で、いわば読み方の工夫を、この本のなかで述べてみたいと思います。それがなるべく多くの読者にいくらかでも役に立てば、私の目的は十分に達せられるというわけです。

教師を煙にまいた子ども

私は小さい子どものときから、本を読むことの好きであった人間の一人だろうと思います。それも偶然の事情、ことに子どものときに病気をして、寝床で暮らすことが多かったという事情がおおいに影響したのでしょう。私は戦争ごっこをするかわりに、戦争はどうしておこるのかというようなことを寝床で読んでいました。また原子核の模型や進化論の話などを、どんなおとぎ話よりもおもしろく読んでいました。そして病気がなおり寝床を離れ、町の小学校の教室へもどってみると、そういう知識がいくらか急場を救ってくれることもあったようです。あるとき先生が「だれでもよいから、粘土で人間の頭をつくってごらん」と言いました。私たちは、小学校の三年生だったと思います。私のつくった頭は、ひどくできがわるくて、ほとんど人間にはみえなかったらしい。先生はそれをとりあげて、「これはいったいなんだろう？　猿みたいだな」といいました。教室の仲間は笑いだしました。そこで私は、「猿ではありません。ネアンデルタール人です」といったのです。「え、なんだって、ネアンデルタール……？」「ネアンデルタール人です」と私はゆっくり呪文のように繰り返しました。教室は静かになりました。先生はしばらく考えていました。「それはなんですか、そのネアンデルタール人というのは？」「大昔の人間です。人間の先祖です」と私はいいました。「ふん、そうか。それならいいが、手工の時間には、ふつうの人間をつくったほうがいいな。」先生は笑っていました。しかし、もう私の失敗した粘土細工が猿に似ているのを、笑っているのではないようでした。

とにかく寝床にはじまった読書の習いは、いつか私の性《しょう》となったようです。私は今でも本屋にはいったときに、いちばんくつろいだ気分になります。日本でも、外国でも、神田の古本屋街でも、ロンドンのチャーリング・クロス・ロードの軒なみの本屋街でも。そういうことは単なる気分の問題で、よくも悪くもないことなのでしょう。とにかくそういうことが、こういう本を私が書きはじめた理由の一つになっているに違いありません。

II　どう読むか、その技術

3　おそく読む「精読術」

「急がば回れ」の教訓

本屋の棚をながめると、おもしろそうな本がたくさんあり、書評を見ると、必読の書とまでは書いてないとしても、どの本もよさそうなことが書いてあります。もし、なにかの題目について参考書を調べようとすれば、とにかく何十冊かの本がその題目について出ているでしょう。そこでたくさんの本を、なるべくはやく読みあげたいという気になるのは当然です。しかも現代の都会の生活には、速さに対する一種の信仰のようなものがあって、だれも彼も忙しく、なにかに追いまくられているように先を急いでいます。その二つが重なって、もし読書法というものがあるとすれば、それは速読法にほかならないという通念さえ生まれかねません。しかし何事によらず、絶えずこれほど急ぐ必要があるのかどうか。下世話《げせわ》にも「急がば回れ」といいます。むかし兎と亀が競走をしたときに、亀が先に目的地についたという話は、だれでも知っています。そういう話を、ときどき思いだしてみるのもむだではないかもしれません。

第二次大戦後の世界の映画界には、三つの目立った現象がありました。その第一は、イタリアのネオレアリスモ、その第二は、日本をはじめスウェーデンやポーランドなど、大戦の前には知られていなかった国の映画の国際的な擡頭《たいとう》、その第三は、フランスの若い人たちの生みだしたいわゆる「ヌーヴェル・ヴァーグ」の運動でしょう。そのヌーヴェル・ヴァーグのつくった映画の一つに「恋人たち」というのがありました。その映画のはじめには、さりげなくてじつにすばらしい場面がある。ひまと金があって退屈している女が、パリから郊外の自分の家へ自動車を運転して高速道路を急いでいると、途中で車が故障を起こします。自分で直そうとしてもらちがあきません。通る車を止めて修理を頼もうとしても、なかなか止まってくれない。とかくするうちに、やっと小さな自動車が一台だけ止まり、そのなかから若い男が出てきて彼女の車の故障をみてくれます。男は、とても修繕はおぼつかないといい、女は自宅に客をよんであるので、先を急いでいます。どうにもならないので、女は自分の車をそこへ捨てて、若い男の車に乗せてもらいます。女は先を急ぐ。男は小さな車をゆうゆうと運転し、あとからくる車のほとんどすべてが追いぬいて行きます。行くほどに、女はますますいらいらし、「もっと急いで」と叫び、男はいよいよ落ちつきはらって、こういいます。「原則として、わたしはゆっくり進む」――こういう科白を文明批評というのでしょう。映画「恋人たち」が有名になったのは、あとにくるはずの寝室の場面の大胆露骨な描写によるので、高速道路上の車中の文明批評によるのではないようですが、そんなことはどっちでもよろしい。男が、あるいはもっと正確に言って、その男にそういうことをいわせた製作者が、いまも「兎と亀」の話を忘れていないというところに、絶妙の味があると思います。

自動車でさえも、速ければ速いほどよいわけではありません。いわんや本を読むのに、いつでもはやいだけが能ではありますまい。むかしの人は、「読書百遍、意自《いおのずか》ら通ず」と言いました。いや、むかしの人ばかりではなくて、いまの読書家でも、たとえばアラン(一八六八―一九五一)は「繰り返し読むことのできないような小説ならば、はじめから読む必要がない」と言いました。彼はさらに一歩を進めて、「およそ本を読むのにノートをとる必要はない。ノートをとらなければ忘れてしまうようなことは、忘れてしまったほうが衛生的である。忘れられないようなことならば、わざわざ紙に書きつけるには及ばない」とまで言ったのです。これはおよそ「読書百遍、意自ら通ず」と同じような態度、同じような理屈で、そのことに気がついたのは、むかしの日本人(また中国人)ばかりでなく、西洋にも気がついていた人が少なくありませんでした。

なぜ、おそく読むのがよいか

しかしそれは、一面の真理で、本を読むときには、いつ、どこでも、どんな本でも、おそければおそいほどよい、というわけではないでしょう。むかしの人が、百ぺん読んで、意おのずから通じるのを待っていた本は、いったいどういう本だったのでしょうか。たぶん「四書五経」ことに『論語』だった。アランは、なにを繰り返し読んでいたのでしょうか。プラトン(前四二七―前三四七)や、ヘーゲル(一七七〇―一八三一)や、スタンダール(一七八三―一八四二)だったようです。しかし、おそらく新聞・雑誌・新刊書の類を繰り返し読んでいたわけではない。そもそも百ぺん読まなければ意の通じないような新刊書は、そうあるわけのものでもありません。本の読み方には、たしかになるべくおそく読むという法があります。むかしもいまも、日本でも西洋でも、それを読書法の原則とした本さえも出ているくらいで、たとえば、フランスの文芸史家エミール・ファゲ(一八四七―一九一六)の『読書術』などは、その典型的な場合の一つでしょう。しかし、そういう読み方をするときに、読むべき本は古典にかぎられます。「おそく読め」というのは、「古典を読め」というのと同じことになり、また逆に、「古典を読め」というのは、「おそく読め」というのと同じことになるでしょう。遠いむかし、いまとは違った言葉で、違った社会で、違った読者にあてて書かれた本のなかから、今日の私たちにとっても生きているなにものかを汲みとるためには、その本との長いつきあいが必要であるのかもしれません。

日本人のものの考え方の根本を知る法

しかし古典とはなんでしょうか。たとえば、『論語』が古典であるというのは、長いあいだ中国で続き、その後日本にも引きつがれた個人崇拝のために違いありません。聖人孔《せいじんこう》子《し》(前五五一—前四七九)が天地の理を見破り、人間の行ないの基準を定めたので、その教えにしたがって生きるのが、人間の正しい生き方であるという考えがあります。そういう考えが、伝統を重んじる社会で世代から世代へ受けつがれ、何千年にも及んできた。もし儒《じゅ》教《きょう》を宗教とすれば、孔子は教祖にあたり、『論語』は教祖のご託宣にあたるでしょう。現に東京の湯島にも聖廟があり、孔子をまつっています。孔子は神でないまでも神に近い人で、その言葉を集めたといわれる『論語』は、したがってあたりまえの人間の書いた本とはまったく別のものと考えられます。それが古典です。

しかし宗教の教祖の言葉だけが古典なのではありません。『論語』にしても、それを宗教的な文献としてではなく、歴史的な一つの書物としても読むことができます。そういう立場から見れば、『論語』は孔子と弟子たちとの対話の断片を前後の脈絡なく集めた本です。一つ一つの断片は、それだけでも意味のはっきり汲みとれるものがないわけではありませんが、多くはあまりに断片的なために、その意味を正確にとらえることが、いまではほとんど不可能に近い。だから一度読んではなんのことかわからず、百ぺん読むうちにおのずからわかってくるという意見さえ出てくることになったのです。しかし、その場合のわかり方は、いわば『論語』のなかに「読む人の人生にとって大切な知恵を発見するにいたる」というような意味でのわかり方で、そのことと、孔子自身が、むかしどういう意味でその断片的な言葉を語ったかということがわかるのとは、まったく別の二つのことになります。また、たとえある程度までは、『論語』のそれぞれの断片の意味がとらえられるとしても、『論語』全体の思想をまとまった形で理解することは、困難または不可能に近いでしょう。

そこで『論語』をもとにして考えるかぎり、孔子の思想については、いろいろの解釈が成りたつということになります。事実、いろいろの解釈を成りたたせてきたのが、中国思想史の大筋であったといってもよいでしょう。それをいま「儒学」という言葉で呼ぶとすれば、儒学が中国で、綿密で体系的な哲学につくりあげられたのは、宋の時代です。たしかに儒学はそれより前に、日本にはいってきました。それはたぶん仏教と前後して、おそらく五世紀か六世紀のころだったでしょう。そのあと儒学の影響、ことに道徳に与えた影響は、つねに大きかったに違いありません。しかし宋の儒学が日本で公式の哲学となり、教育の原理となり、一般にものの考え方を強く支配するようになったのは、徳川時代以来のことです。学者でいえば、藤原惺窩《ふじわらせいか》(一五六一―一六一九)や林羅山《はやしらざん》(一五八三―一六五七)というような人たちがおりました。もちろん中国でも儒学はそれなりの発展をとげ、また日本でも徳川初期の儒学がそのまま続けて行なわれていたというのではなく、中国での発展と関連して、日本にはまた日本での発展がありました。しかし大ざっぱにいえば、徳川以後の日本に支配的であった哲学は、儒学であったといってさしつかえないと思います。そして、宋の理論をはじめ、それ以後のすべての儒学者の本は、多かれ少なかれ、いずれも『論語』を踏まえているといってよいのです。『論語』が古典であるのは、何世紀にもわたって中国を支配し、また日本でも大きな影響を早くから及ぼして、徳川時代に支配的となったあらゆる思想の根本に『論語』があるからです。『論語』を読むこと、それを自分なりに理解するということは、したがって中国思想を自分なりに理解すること、また日本の徳川時代――しかし徳川時代のものの考え方はいまの日本にも残っていますから、また明治以後の日本でのものの考え方の全体を、自分なりに理解するということになるでしょう。

孔子は〝やとわれ重役〟

故事来歴《こじらいれき》というものがある。それを日本語の表現から追い出してしまうわけにはゆきません。「一を聞いて十を知る」とか、「思い邪《よこしま》なし」とか、「暴虎馮河《ぼうこひょうが》」の勇とか、――例は数かぎりなくあるでしょう。その多くは『論語』の一節をとったもので、そういう表現が使われはじめたときには、だれでも『論語』を読んでいたのでしょう。いまでは学校用教科書として、『論語』がはやっていません。しかし『論語』を一度読めば、そういう日本語の言いまわしがはっきりわかるようになるだろうということに変わりはありません。また、たとえば年齢四十歳のことを「不惑《ふわく》」と言い、六十歳のことを「耳順《じじゅん》」と言います。そう覚えておけば、それでも話は通じます。しかし丸暗記するよりは、『論語』を見たほうが、筋道がたっておもしろみがあるでしょう。要するに故事来歴、これの源泉が『論語』であるから、読んでおくのが便利である、ということが一つ。しかし、それだけではありません。第二にもっと内容に触れての意義が大きい。

私はむかし学校で「忠孝一本《ちゅうこういっぽん》」ということを教えられました。また「修身」ということ、「治国平天下《ちこくへいてんか》」の技術の眼目は「修身」であるべきこと、「修身」の中心は孝行・忠君・愛国であることなど。要するに一種の道徳主義、精神主義、人格主義があり、それが儒教に発していて、儒教の開祖は孔子で、内容は「親に孝、君《きみ》に忠」である、——ざっとそういうことを学校で教えられ、世間で見聞して、漠然と心得ていたといってよいでしょう。その心得で『論語』をはじめて読んだときに、私はまったく仰天しました。どうも伝え聞いていたところと様子がだいぶ違うのです。『論語』のなかの孔子は、親父のやったことは三年改めないのがよろしい、などと言い、たしかに「孝」を強調しています。しかし、それほど「忠」を強調していない。そもそも孔子は一つの「君」に仕えるのではなく、諸国を渡り歩き、しかるべき「君」といわば契約して、その国を治めるのです。これは、およそ今日の社会での「おやとい重役」のようなものでしょう。しかも終身雇用制ではない。一つの会社で働き、また他の会社へ移るということがあります。現に孔子自身が、乱れた会社では責任はとれない、つぶれかかった会社ではらちがあかない、仕事をするには会社を選ばなければならない、と言っているほどです(「危邦入らず、乱邦居らず」)。さて仕事を一度ひきうけたら、社会政策(「能《よ》く博《ひろ》く民に施し、能く衆を済《たす》く」)と大衆操縦(「民はこれに由《よ》らしむべく、知らしむべからず」)によって治める。冒険(「暴虎馮河」)を排して、中庸《ちゅうよう》の道をたっとぶ。どうもたいへん実際的な政治の技術家であって、そういう立場の人が「君」への「忠誠」を絶対化したとは考えられません。私は、『論語』を読んで、これは「忠孝」でなく「孝」の書である、「忠」のほうは、日本側でつけ加えたのだろうということに気がつきました。

「季路《きろ》鬼神に事《つか》うるを問う。子《し》曰《のたまわ》く、未《いま》だ能《よ》く人に事えず、焉《いずくん》ぞ鬼《き》に事えん。曰《いわ》く敢《あえ》て死を問う。曰《のたまわ》く未だ生を知らず、焉ぞ死を知らん。」季路という弟子が、鬼神に事えることをきいたら、孔子は、人間に事えることも十分にできないのに、鬼神には事えられまい、と答え、死について尋ねたら、まだ生のことも知らぬのに、死のことのわかるはずがなかろう、と答えた。この応答ぶりは、精神主義の多くの漢学者とは、だいぶ違う人物を示しているでしょう。実際的で、合理的で、ほとんど偶像破壊的な懐疑主義者の風格があります。そういうことは、読めばわかるし、読まねばわかりません。『論語』を読めば役に立つというばかりでなく、だれにでもおもしろいはずです。政治学入門としても、東に『論語』、西にマキァヴェッリ(イタリアの政治家、一四六九―一五二七)の『君主論』、どちらも似たことをたびたび言っています。とにかく日本人の立場からいえば、百ぺんではないにしても、少なくとも一度や二度ゆっくり『論語』を読むのは、けっして時間のむだにはならないでしょう。そういう本はおそく読めば読むほどよろしい。そのために必要な時間は、ほかの本を読むことをやめてもつくり出すことができます。

古い経典も、読み方しだいで新しくなる

しかし、もちろん日本のものの考え方に大きな影響を与えたのは、儒学だけではありません。徳川以前には仏教がありました。仏教には論語の場合のように、一冊で教祖の言葉をまとめたというような本はありません。たくさんの経文《きょうもん》があり、宗派によって、どの経文がいちばん大切であるか、意見が分かれているくらいです。しかし無数の経典のなかで、日本の文化と日本人のものの考え方に強い影響を与えてきた経典の数は限られています。たとえば般若経《はんにゃきょう》、法華経《ほけきょう》といったようなものです。法華経は、いまでも創価学会を生みだす力があり、また、たくさんの仏教系新興宗教をつくり出す力もあるというようなものです。それもまた日本での古典、要するに歴史的に見て、日本精神ができあがるうえに大きな役割を演じてきた本の一つということになるでしょう。

また、いうまでもなく神道があります。また『古事記』の伝説や、各時代の日本人にいつも愛読されてきた『万葉集』や『源氏物語』のような文学書もあります。そういうもの

の全体を一括して「日本の古典」といえるかもしれません。そういう古典を読むことが、日本の歴史や文化やものの考え方の構造をよくわかるために必要なことはたしかだろうと思います。

聖書と西洋

一方、明治以後の日本は、西洋からの強い影響を受けつづけて今日にいたっています。西洋からの影響は、さまざまの道を通り、さまざまの著者と本を通してはいってきたのですが、その源である古典は、申すまでもなく第一に聖書であり、第二にギリシャ思想を代表するいくつかの本であると言ってよいでしょう。なぜならば、西洋の文化がほかの文化、たとえば中国やインドの文化と違うのは、第一にそれがキリスト教文化であるということ、第二にキリスト教文化と密接に関係しながら、たえずヨーロッパ精神の形成に働きつづけてきたギリシャの影響ということになるだろうからです。キリスト教は儒教の場合と同じように一冊の本に発し、そのなかでのすべての思想が、またその一冊の本に帰ってゆくようにできあがっています。聖アウグスチヌス（キリスト教神学者、三五四―四三〇）、聖トマス＝アクイナス（キリスト教神学者、一二二五―七四）、またルーテルやカルヴァンにとって、いちばん大切な書物は、聖書だったに違いありません。聖書は新約と旧約を合わせると、論語よりもはるかに大きな本です。しかし旧約はキリスト以前の話で、ユダヤ教の書であっても、直接にキリスト教の書ではありません。キリスト教の中心は、いうまでもなくキリスト自身ですから、キリストの言行を伝えた新約聖書が、いわば儒教の「四書」、ことに論語に相当するということになりましょう。新約はそれほど大きなものではありません。

日本人の立場から見ても、西洋との因縁が深い以上、また地球が小さくなり、その地球の大部分の地域に圧倒的な影響を及ぼしているのが西洋思想である以上、新約聖書を繰り返し、できるだけゆっくり読むことは、おそらく論語の場合と同じように、時間のむだにはならないでしょう。そこにはすべての西洋思想を支える大きな二本の柱の一本があるのです。イギリスの歴史家トインビー(一八八九—一九七五)も言ったように、はげしい無神論者であるマルクスの思想でさえも、「まさにキリスト教の世界以外のどこでも生まれ得なかったろう」ということさえできるのです。

西洋を支えるもう一本の柱

西洋思想のもう一本の柱はギリシャです。もしギリシャの思想・文化の全体を総称して

「ヘレニズム」という言葉を使うとすれば、「西洋とはキリスト教的なヘブライズムとヘレニズムとの出会う場所であった」ということもできるでしょう。しかしキリスト教の場合と違って、ギリシャの思想が一冊の本に要約されているとは言いがたいでしょう。ある人は、ソクラテス(前四七〇―前三九九)というかもしれません。しかしソクラテスの言ったことは、プラトンの「対話編」のなかに断片的に出ているにすぎないのです。またある人は、アリストテレス(前三八四―前三二二)というかもしれません。なぜならば、西洋中世のキリスト教がその神学を組みたてるときに骨組として使ったのは、アリストテレスの哲学とその論理にほかならなかったからです。しかしまた、おそらくプラトンをあげることもできるでしょう。西洋思想の一つの特徴は、精神と肉体、観念と物質、主観と客観、形と素材、概念と実際などの対立をするどく意識し、その関係をつきつめることにあると考えられるからです。そういう対立のするどい意識は、プラトンに典型的に現われています。

　ギリシャ思想の代表的な思想家がだれであるかを論じることは、ここではできませんし、そもそもそういうことを論じて、一人の思想家や一冊の本を見つけだそうとすることに、どういう意味があるかも疑わしいかぎりです。しかし、さしあたっての便宜のため、仮にそれをプラトンによって代表させることにしておきましょう。古典というものは、あまり数が多くなれば、その意味を失うように思われます。だれもたくさんの古典をゆっくり読むことはできません。しかし私の読書法では、古典とはゆっくり読むための本なのです。

自分を発見するために古典を読む

たとえば日本を理解するために、論語と仏教の経典、日本の古典文学のいくつか、また西洋を理解するために聖書とプラトンを、できるだけおそく読むことが、おそらく「急がば回れ」の理にかない、「読書百遍」の祖先の知恵を今日に生かす道にも通じるだろうと思われます。しかし、そもそも日本を理解し、世界を理解する必要があるのでしょうか。できるならば、それに越したことはありません。しかし私は、かならずしも、それが人生のいちばん大事なことであるかどうかは、疑わしいと思います。たとえば、論語、仏典、聖書、プラトン——いくらそれをゆっくり読んでみても、その四つをほんとうに自分のものにすることは、おそらくだれにもむずかしいのではないでしょうか。

この世の中に生きていれば、私たちのひとりひとりが考え悩むこともあり、どうしても解きたいと思う問題もあります。あるときには、その大きな問題を忘れるように努め、あるときには、それにもかかわらず、その問題につきあたりながら、なんとか暮らしつづけているのが人生でしょう。その私たちがつきあたっている問題、考えあぐねている事柄は、人によって違います。そのことと関連して、論語はそれなりに、仏典はそれなりに、また聖書やプラトンもそれなりに、答えを与えてくれるかもしれませんし、与えてくれないかもしれません。しかし、その四つの本は、手あたりしだいに並んでいるのではなく、こちら側の問題の性質によって、四つのなかの特別な一つが、他の三つよりも、おそらく、その問題を考えるうえには役立つだろうと感じられる場合が少なくないでしょう。自分の問題がこうであり、そのことについては、この古典が役立ちそうだという予感があり、したがってそれを読む、自分の体験と照らしあわせながら、ゆっくり、たぶん繰り返して読む、という古典の読み方もあるはずです。その場合には、その古典が日本の思想史、または世界の思想史を理解するうえに、大切であるかないかということは、どっちでもよいことになりましょう。たとえば、愛する者を失った悲しみとか、人生今後の方針について大きな岐路に立って迷っているとか、あるいは生きていることが無意味に見えてはりあいを感じられなくなったとか、それぞれの場合に応じて古典を読めば、それが道をひらくきっかけになるかもしれません。そういう期待をもって本を読む、これが古典の読み方のほんとうの筋かもしれません。なぜなら、およそ本を読むときには、だれでもその本のなかに自分を読むものだからです。

思想は石鹼のようには使えません

はじめに「読書は旅に似ている」といいました。旅から帰ってきた人の話を聞いてごらんなさい。同じ北海道へ行っても、同じ九州へ行っても、行った人によってその印象は違うでしょう。見た人それぞれの性格が、その旅先での印象にはっきりと出ているからです。どこへ行っても、人は自分を発見します。同じように、どんな本を読んでも、人はみな自分をその中に発見するのです。読む側であらかじめ切実な問題を自分自身のなかに持っていて、しかも、その問題が同時に、読む本の問題であるという場合でなければ、そもそも書物をほんとうに理解することができるかどうか疑わしい。聖書を理解するためには、それが西洋史のなかで、歴史的に見て大事な書物であるという知識だけでは足りません。おそらく、そういう知識は読みはじめる動機にはなるかもしれないけれども、ほんとうに聖書を理解するためには、まったく役に立たないかもしれません。しかし家族を失ったあとで、ただひとり、どうして生きてゆこうか、どんな心のよりどころがあるだろうかということを捜し求めているときに、聖書に近づいてゆくとすれば、なんとかして道を捜そうとするその気持は、理解の大きな助けになるでしょう。

私は、ゆっくり読むことのできる古典として、たとえば、論語と聖書とプラトンと仏典を数えましたが、それはけっしてそのすべてを読むことが望ましいという意味ではありません。そのなかのどれか一つを読むことのほうが、おそらくその四つを一通り試みるより、はるかに適切でしょう。その結果は、一面的な考え方にかたむくかもしれません。しかし一面的でないどんな深い思想もなかったのです。たとえばキリスト自身は極端に一面的でした。おそらく、孔子もそうだったでしょう。そうでなければ、孔子が反政府運動の疑いで国外追放の憂き目にあい、荒野を放浪すること何年にも及ぶというような事態は起こらなかったはずです。肌ざわりがよく、だれにも便利な石鹼というものはありますが、円満でだれにも便利な思想というものは、いままでにもなかったし、いまでもないし、また将来もないでしょう。それが石鹼と思想の違いです。

世界を知るための最小限の条件

しかし古典というものは、なにも二千年以上も前の本でなければいけないというわけではありません。もう少し新しい本が古典であってもいっこうにさしつかえない。現に世界の人口のたいへん大きな部分は、比較的最近の本を古典として扱っていました。私が言いたいのは、マルクス(一八一八―八三)とエンゲルス(一八二〇―九五)とレーニン(一八七〇―一九二四)の書いた本のことです。二〇世紀の世界は長い間二つに分かれ、その一方が「自由な」資本主義世界で、他方が「民主的な」社会主義的世界ということになっていました。その、それぞれの世界の頭にどういう形容詞をつけるかは、趣味の問題で、口の悪い人は、たとえば「好戦的で腐敗し、近いうちに自滅するであろう」資本主義世界というでしょうし、また「神なく自由なき悲惨な」社会主義世界ということでしょう。しかし、大切なことは、どういう形容詞を選ぶかということではなくて、世界が二つに(または、いわゆる中立国を含めて三つに)分かれていたということであり、その一方の世界のなかでは、一九世紀に書かれたマルクス・エンゲルスの本が古典として通用していたということです。その事実を無視すると、世の中の根本のことがわかりにくくなってきます。もし、いま私たちが生きている世界の全体を、あまり大きな偏見なしに、あまり大きな誤解もなしに、どうにかわかろうと思えば、最小限度の条件の一つとして、少なくともマルクスの本のなかで大切な部分を、いくらかていねいに読んでみることが必要だろうということになります。そういう必要が、二つに分かれていた世界のこちら側、つまり社会主義ではなかった側にあるのです。そして、その必要をみたすために、私たちの日本はたいへん便利な国であるといってよいようです。

第一に、まだ社会主義国が一つしかなくて、しかもそれほど強大でなかった第一次大戦のころから、早くも日本ではマルクスの本が紹介され、翻訳され、研究されてきました。マルクスの全集をはじめ、その系統の学者の本がたくさん翻訳されて、それを日本語で読むことができるようになっていたのです。けれども、それを読むことは、明治憲法と治安維持法の下では、おまわりさんにつけまわされ、時と場合によっては牢屋にぶちこまれ、踏んだり蹴ったりされる危険を意味しました。しかし、第二次大戦のあとで、明治憲法が廃止され、いまの憲法ができました。また憲法の人権尊重の趣旨にのっとって、治安維持法も廃止されましたから、いまでは、だれがどんな本を読んでも、それだけでおまわりさんにつけまわされるはずはないということになっています。

これは私たちが日本人として世界を客観的に公平に理解してゆくために大切なことの一つでしょう。とにかくマルクスの本、またマルクスはたびたびエンゲルスといっしょに書いたから、その二人の書いた本、また、そのあとでレーニンの書いたいくつかの本、そういうものも、これは百ぺん読まなければ意味の通じないほどむずかしいものではないけれども、できるだけおそく読むべき本のなかにはいるのではないかと思います。

マルクスはマルクス主義者に非ず

実際にマルクスの書いた本を読んでみると、どういうことがわかるでしょうか。たとえば、次のようなことがわかると、私は思います。

第一に、マルクスという人は、多くのマルクス主義者とどれほど遠くへだたっていたか、第二に、マルクスをふくめてすべての偉大な思想家は、どれほどおたがいに似かよっていたか、第三に、マルクス主義は唯物論であるというけれども、その唯物論がマルクスの本のなかでは、どれほど深く、「人間の人間としての価値」の感覚と結びついていたか、第四に、いわゆるマルクス主義についての通俗的解説のどれほど多くが、どれほど表面的で、ほんとうのマルクスからへだたっているか――少なくとも、そういったようなことがおのずから、はっきりとわかってくるでしょう。

宗旨を変えてマルクス主義者になることは、おそらく多くの読者にとってむずかしいだろうと私は思います。なぜなら、マルクスの生きていたときから、いまではおよそ百年ばかり立ち、孔子の生きていたときと比べれば、はるかに近い距離に違いないけれども、人間の一生、また近頃の世界のはやい変わり方から見れば、百年でもかなり遠い距離であるだろうからです。マルクスの住んでいた世界とはすっかり変わってしまったいまの世界に、彼の言ったことをそのままそっくりあてはめて考えることは、むずかしいだろうと思われます。それは、どれほど論語に感心していても、いまの私たちにとって、孔子廟にお詣《まい》りすることまでは不可能なのと同じです。ということは、もちろん論語が私たちを啓発しないということではありません。同じように、『資本論』やレーニンの『帝国主義論』が、私たちを啓発しないということではありません。

教科書は一冊でけっこうです

古典を読むにはゆっくり読まなければならないでしょう。しかし、ゆっくり読まなければならないのは古典に限りません。ということは、わざわざ断るまでもなく、試験前の高校生諸君は、だれでも知りすぎるほど知っていることでしょう。現に、全国の高校生は鉢巻をして、同じ本を繰り返し、繰り返し、たぶん、相当にゆっくりと読んでいるはずです。その本の十中八九までは、古典ではなく、また古い本でさえもなく、せいぜいここ二、三年のうちにできあがった一ダースばかりの教科書か参考書です。いや、なにも高校生に限らず、ほとんどすべての技術の領域では、基本的な知識の全体を網羅した教科書に類するものがあります。それには、同じ技術の領域でも、いくつかの種類があるでしょうが、その五、六冊を集めて比較してみれば、大部分におよそ同じことが書いてあります。ですから、いちおう権威があるとされている教科書ならば、あまり注意して選ぶ必要がありません。まして、二冊の教科書を読む必要はまったくない。よい技術者になるためには、一般によくできているという評判の教科書五、六冊のなかから、任意の一冊を抜いて、その一冊を繰り返し読んで、暗記しないまでも、ほとんどそれに近い程度まで知りつくせば、それで十分でしょう。

おそ読みがとりわけ必要な人

たとえば私は、そういう経験を血液学教科書についてしました。これは教科書といっても、高校生の一般教養のためのものではありません。大学の医学部を卒業して、何年か一般の内科学を勉強して、そのあとで血液学という専門の仕事をはじめる人のための教科書です。そういう教科書が世界中にいくつかあります。そのなかの一つか二つを私は繰り返して読みました。これは医者の場合ですが、そういうことをしてどういう役得があるかといえば、第一には、申すまでもなく、病人を診《み》るときに役に立ちます。これは医者の場合にかぎらず、ほとんどすべての技術に通用することでしょう。また第二に、その領域での新しい論文を読むときに、あらかじめ読んだ教科書の知識がおおいに役立つのです。なぜならば、学問的な研究論文は、教科書に書いてある知識を、いわば読者の常識としてはぶくか、あるいは、きわめて簡単に示唆する程度にとどめてありますから、教科書を十分に読んでいない人がそういう論文を読むことは、たいへんむずかしい。十分にわからないでしょうし、たとえわかるとしても長い時間がかかります。別の言葉でいえば、教科書をおそく読めば読むほど、そのほかの本をますますはやく読むことができ、教科書をはやく読めば読むほど、別の本の読み方がおそくなる。「急がば回れ」の理屈は、技術者の専門に関する読書の場合にはじつにはっきりと現われてくるのです。

おそ読み法とはや読み法は、切り離せない

「本をおそく読む法」は「本をはやく読む法」と切り離すことはできません。ある種類の本をおそく読むことが、ほかの種類の本をはやく読むための条件になります。また場合によっては、たくさんの本をはやく読むことが、おそく読まなければならない本を見つけ

だすために役立つこともあるでしょう。ある一つの題目について、ある一つの領域のなかで、どうしても必要な基本的な知識、また親しむべき考え方の筋道は、そうたくさんの種類があるものではなく、基本的なところを十分に理解し、また基本的な考え方に十分慣れれば、そのあとの仕事がすべて簡単になるといってよいと思います。よい教科書はそういう知識を提供し、さらにそういう考え方さえも与えるように仕組まれています。学校の教科書や、専門家の技術の教科書は、一つの例にすぎません。こういうことは、おそらく学問にかぎらず、また技術にかぎらず、ある程度までは、読書のほとんどすべての領域にわたって通用する面もあるように思われます。たとえば、日本の経済について、基本的な機構と基本的な指標の数字を心得ている人と、心得ていない人とでは、個別的で一時的な経済現象についての数限りない本や、パンフレットや記事を読むとき、その速さも違うでしょうし、わかり方の度合いも違うでしょう。絶えず変わっていく社会の表面の現象を忙しく追いかけているよりも、一度そこから目をそらせて、基本的な社会の構造、基本的な構造の動き方を理解しておいたほうが、長い目で見れば、時間の経済になるのではないでしょうか。

本をゆっくり読むことは大切です。第一に、そうすることで、たくさんある本のなかから読まなければならない本、読みたい本を選びだす手間がおおいにはぶかれる。『源氏物語』に手間どっていれば、その手間どっているあいだに、今月のどういう小説がおもしろいだろうかと心配する必要がなくなるといったものです。第二に、小説の場合には話がいくらか違いますけれども、一般に一冊の本をゆっくり読めば、それを読み終わったあとで、ほかの本を手あたりしだいに読みだすときに、仕事がはやく片づきます。

しかしなんといっても、いまこの世の中で、ゆっくり読むことのできる本だけをゆっくり読んで、他の本に脇目もふらず、おちつきはらっていることはむずかしいでしょう。本を読む必要があるとすれば、大部分の本は、どうしてもはやく読まなければならないということになりがちでしょう。そして、本をはやく読む工夫は、単に一冊の本をあらかじめゆっくり読んでおくということだけではありません。

4　はやく読む「速読術」

古いやり方では間に合わない

今日の世界の特徴は、専門化された知識の集積がおそろしくはやいということ、その速さが、専門家自身にさえ追いつくことが困難なほどになっているということでしょう。しかも世界中に印刷機械が普及し、たくさんの本や雑誌や文献が世界各国で印刷されて、おたがいに交換されているのがいまの世の中です。たとえば、東京で小さな研究を一つしようと思えば、その研究の対象について、世界中でもうすでにどういうことが知られているか、いちおう調べてみなくては、はじめることもできないでしょう。世界中のその題目に関する文献を、いちおう集めてみるほかはないということになります。具体的にいえば、そういう文献を整理するいろいろの装置があるわけですけれども、ほとんどすべての研究者は、とにかく一通りの文献に目を通すことだけでも忙しいのです。また、かならずしも学問の研究にかぎらず、会社の経営についても、役所の行政についても、特殊な一つの事柄について、じつに多くの知識が印刷されている。それを理解する必要があり、それを理解するには、ひじょうにたくさんのページを限られた時間で読まなければならないということになります。また一人の個人にとって、自分の仕事の内容にかかわりのある範囲でだけ本を読んでいるとすれば、そのほかの人事百般についての知識は、学校を卒業したとき——しかし大学の教育はある程度まで専門化していますから、具体的には高等学校を卒業したときのままで、一生終わることにならざるを得ないでしょう。もし、そうでないように、いくらか仕事のせまい範囲をはなれても、世の中のことについて知りたいと思えば、そこにはまったく限りない本があって、ほとんどどの本をどこから読みはじめてよいか見当もつかないということになるでしょう。

いずれにしても、どれほどはやく本を読んでもはやすぎるということはなくて、はやく本を片づけることが、生きていくうえにほとんど不可欠なことのようにさえ思われてきます。これは、根本的には、いまの世の中の何事においても、知識の量の全体がひじょうな速さで増えてきているということに基づくので、多かれ少なかれ感じる現代の特徴だといっていいでしょう。

そういう現代の社会の特徴は、一般に、ほかのどこの国でよりもはやく、また典型的に、アメリカに現われてくるのがふつうです。はや読み法がまずアメリカで流行しはじめたのも、また当然でしょう。アメリカのはや読み法の目的は、主として実生活のうえで能率をあげることにあるようです。なるべく少ない時間で、なるべく少ない努力で、なるべく多くの効果をあげようというものの考え方が、本の読み方にも現われてきているといえましょう。そのこと自身がアメリカの社会の特徴かもしれません。

しかし、それだけならば、だれでも望まないはずはない。どういう時代のどういう社会の人でも、目的をはやく達成するのにそれなりの工夫をこらすわけです。それは、あるときには個人であり、あるときには「精神一到何事か成らざらん」式の精神主義です。あるときには、「心が正しければ行ないもまた正しくなるであろう」という流儀の道徳主義でもあり得るでしょう。そういう流儀は個人的なもので、だれにも通用するというわけにはいきません。二宮尊徳（一七八七―一八五六）は薪《たきぎ》を背負いながら本を読みました。私たちが、それのまねをすることはできないわけはないでしょうが、しかし薪を背負いながら本を読むには、二宮尊徳の強い決心がいるわけで、それはだれにもできることというよりは、むしろ個人的な事柄だろうと思われます。名人芸といわれる芸の秘密は、ふつう親から息子へだけ伝えられて、あたりまえの弟子には授けられません。だから「秘伝」というのです。「秘伝」という考え方は、ほんとうのりっぱな芸は、けっしてだれでも行なうことができるものではない、特定の人にしかできないのだということを、いわば前提にしています。

特定の人、名人だけが目的をとげる。あたりまえの人間では、目的をとげることはできない。これが「秘伝」の考え方、個性的な熟練と以心伝心主義でしょう。

あなたも、はや読みができる

しかし格別の頭のひらめきを必要とせず、むずかしい問題を解いたり、熟練や生まれつきの器用さを必要とせず、仕事をやりとげることのできるやり方——いわば、だれでもあたりまえの頭と手足を備えた人間なら、応用することのできるもののやり方というものがあります。そういうやり方は、万人に通用するので、個性的ではありません。また組織的、体系的で、「方法」化されています。たとえば初等幾何に対して、解析幾何学は方法的であり、初等算術に対して、代数学が方法的だというようなものです。だれでも知っているように、初等算術や初等幾何の「初等」とは、けっしてやさしいということを意味しません。じつはむしろ反対であって、同じ問題を解くのに、初等幾何や算術によれば、解析や代数の方法を用いるときよりも、はるかに多くの努力や思いつきや頭のひらめきを必要とするのです。むかし、私は小学校の五年生のときに、どうも学校の進み方がおそいので、六年めをとばして、中学校へはいったほうが時間の経済ではないかと考えました。それには、五年生のあいだに、五年生用および六年生用の授業の内容を覚えて、中学校の入学試験を通らなければなりません。それはかなり忙しい仕事です。私の父は、そこで私に、「どんなむずかしい算術の問題でも、容易に、たちどころに、まちがわずに解く方法を教えてやる。その方法を用いれば、おまえはいちばん成績のよい六年生にも、算術に関するかぎり、けっして負けないだろう」といいました。父の方法とは、連立一次方程式のことでした。私は教場へ行き、「つるかめ算の問題」を父から教わった代数の方法で解きました。先生が問題を説明し終わって、ほかの子どもたちが考えだすか出さないうちに、私はもう答えを出すことができたのです。私は手をあげました。「もうできたのか、はやすぎるね」と先生はいいながら、まったく信用できないという顔をしました。「とにかく答えをいってごらん」——しかし、もちろん答えは正しかった。先生はおどろき、ほかの生徒は呆気《あっけ》にとられていました。これは私の頭のよしあしに関係なく、ただ「方法」というものの性質に関係していることです。「算術よりも代数が方法的である。ゆえに代数の初歩は一年間の算術的訓練をたちまち無用の長物化する」ということにすぎないでしょう。私の父は、そういうことを知っていました。同じ父親があれば、どんな子どもでも、「つるかめ算」にひまをつぶす必要はなかったはずです。なにも小学校の算術や中学校の初等幾何にかぎらない。一般に科学は、人間の精神的活動を方法化することによって成りたちます。そこが同じ人間の精神的活動でも、たとえば、芸術と違うところです。

アメリカ式速読術

アメリカの社会には、なにかの目的を達成するのに、そのやり方を方法化しようとする強い傾向があります。本を読むことを能率化する、というだけではなく、その能率化するやり方を、個人の頭のひらめきや、強い決心や、才能に頼らずに、本来だれにでもできるやり方の改善、発明によろうというところが、たいへんアメリカ的な考え方だと思います。

さて、本をはやく読むという方法に、だれでも応用することのできるような、うまいやり方があり得るでしょうか。さしあたって、アメリカ人は「あり得る」と考えているようです。その方法を読んでみると(私は自分で実験してみたわけではないけれども)、はなはだもっとものように思われます。アメリカでいわれている速読法には、大別して二つの面があるようです。その第一は、生理的な面、その第二は、心理的な面です。本を読むということのなかに、目で文字を拾ってゆくという生理的な面と、その文字のつながりから意味をくみとってゆくという心理的な面がある以上、これは当然のことでしょう。

眼球をどう動かすか

第一、目で文字を拾ってゆく運動をはやくするために提案されているのは、視野を拡大する訓練と視野の中心を一点から他の点へ移す訓練に、要約されます。行を追っている目は、たえず動いているのではなく、ある一点で止まって、その視野の範囲の文字を読み、次の点に移って、その点を中心とする視野のなかの文字を読む。そこで視野を拡大する訓練をすれば、目の静止する点の数が少なくなり、比較的短い時間に一行が片づくということになるでしょう。一行がすめば次の行のはじめのほうに、視線がもどります。本を読んでいる人の目をごらんなさい。眼球の往復運動がよくわかります。これもまた訓練によってはやくすることができる。視野を拡大するのには、特別の道具を使う方法があります。視野の移動をはやくなめらかにするためにも、特別に用意された図表によって毎日一定時間練習する方法や、きまった間隔をおいて、次々に映写される文句をすばやく読みとる訓練などがあります。もちろん目の運動は横と縦とで違うでしょう。しかしアメリカで横文字に用いられている訓練法を、少し工夫すれば、縦書きの本のためにも使えるようにすることができるかもしれません。とにかくこの種の訓練の原理は、実際の読書の場合には意味を読みとることとからんでいる目の運動を、それだけ切り離して、意味とは関係なく、訓練するということにつきるだろうと思われます。スポーツの練習ではよく行なわれていることです。たとえばテニスの試合では、あらゆる技術を必要に応じて使わなければなりません。しかし練習のときには、スマッシュならスマッシュだけを、つづけて何度も練習するのがふつうです。そうしなければ、けっしてたしかなスマッシュを習得することはできません。そういうことはどのスポーツにもあるに違いないので、たぶん速読法の眼球の運動にも、応用できるのでしょう。たとえ道具を使わないにしても、みずから工夫してやってみる価値があるかもしれません。

すばやく意味を読みとる法

第二、しかしもちろん、いくら眼球がはやく動いても、意味がわからなければ、本を読んだことにはならない。またふつう、本を読むのに時間がかかるのは、主として意味の読みとりのためなので、その過程をはやくするのは、なんといっても、速読法の要点です。そこでアメリカ人が考えだしたことは、単語を覚えて語彙《ごい》を広げる、文の構造を心得て要点だけを読む、一定の方式にしたがってとばし読みをする、――ということなど、いくつかあるようです。単語をたくさん知っていたほうがよいことは、いうまでもありません。英語でも日本語でも、そのことに違いはない。しかし単語をたくさん覚えるには、時間がかかります。それでもあらかじめ時間をかけて覚えておいたほうがよいというのは、いわば「急がば回れ」方式でしょう。そしてこれは、「急ぐ」ためばかりではなく、じつは「よくわかる」ためにも、役立つことに違いありません。いや、そもそも、「よくわかる」ことと、「はやく読む」こととは、切り離せないということでしょう。私はできるだけ辞書を使うことにしています。たとえば哲学の本を読みはじめたときには、たびたび哲学辞典を参照しました。したがって、はやくは読めなかったのですが、そうして五年もたつと、おのずから辞書を参照する必要が少なくなってきて、同時に私の読書は、五年前とは比べものにならぬほどはやくなりました。長い目でみれば、結局そうしたほうが時間の経済になったと思っています。

文章の構造は、英語と日本語でおおいに違う。アメリカ人は、長い文章の第一行がいちばん大切だなどといいますが、日本文では、そうはゆきません。アメリカ流の速読法でゆくとすれば、日本文の場合には、文章のはじめを読むのではなく、文章をさかさまに、終わりから読みはじめでもするほかないでしょう。私はあるときフランス人の学者のために、日本語の医学資料を見ながら、翻訳を口述したことがあります。学者は私のとなりにいて、大切だと思うところを筆記する。ある一人の患者について「貧血、白血球減少症、幼若細胞の出現……」と私は読みながら訳し、学者は忙しく筆記していました。「また顆粒細胞の形態学的変化、血小板減少症……」と私はつづけ、最後に「……はみとめられない」といったのです。——いや、そういわざるを得ないことに、私自身がいまさらおどろいたといったほうがよいかもしれません。一生懸命翻訳し、筆記したことのすべてが、その患者においては「みとめられない」のならば、はじめから翻訳する必要もなく、筆記する必要もありませんでした。しかし日本語では、すべての努力を水泡に帰せしめるだろう否定詞でさえも、文章の終わりにあらわれるのです。まるで最後の審判のように。神ならぬ身の知る由もない運命の気まぐれのように。「おお、なんたる言語か！」とそのフランス人はいいました。そこで私は、医学資料をそっちのけにして、「日本語の擁護」を一席弁じなければなりませんでした。「しかし『源氏物語』は、いかに独特の味を備えているか……」など。それにしても『源氏物語』が速読に適しないということだけは、みとめないわけにゆかないでしょう。

とばし読みの秘訣

とばし読みはどうでしょうか。これはたしかに一法です。まず目次を読む。それから序論と結論を注意深く読んで、およその内容をつかみ、中間の各章をかけ足で通り抜ける。そのときに、特別におもしろそうな章があれば、そこだけに立ち止まる。たとえば、五百ページの本を二、三冊「今週の末までに読んで書評をしてくれ」などという依頼をひきうけて書く人は、そうでもするほかなかろうと思います。だから無責任な書評だということには、かならずしもなりません。本によっては、そういう方法で十分に用が足ります。しかし、とばし読みのやり方をはじめから決めてかかるには——それがいわばアメリカ流でしょうが——、本の側にも一定の型のあることが条件になるはずです。序論に、その本の扱う対象と扱い方の説明があり、最後の章に結論があって、その結論が序論と結論とのあいだに述べられている事柄からひき出されているという型があれば、いちばん好都合です。アメリカの実業家が読む本のなかには、そういう型の本が多いのだろうと察せられます。日本ではかならずしもそうではない。だからとばし読みの型をあまり固定して考えないほうがよいでしょう。しかし、どちらかといえば、日本では、文章の場合と同じように、始めよりは終わりの大切なことが多いように思われます。会って話しても、まず時候の挨拶があり、世間話があって、気分のいくらかうちとけてきたところで、私たちは要件をきり出す。この日本流は、本を書くときにも広く行なわれているようです。他人《ひと》さまのしかけた話を中断することはできません。しかし本のページならば、前口上のところを遠慮なくとばしたほうがはやいということになります。目次をみて、しばらくページをめくっておれば、そのへんの見当は、存外容易につくはずでしょう。

たとえばいつ、どこで、なにを調査したのか、調査の方法、その目的などが、序論に説明されている、としましょう。それならば、それを読みます。それから、その調査によって、どういう結論が出たかを調べる。そのうえで、その結論を支えるような事実を拾いだそうと常に心がけながら、本の全体を捜してみることができます。事実の大部分が表や図形で示されているとすれば、その仕事はいよいよはやく片づくでしょう。またたとえば、本の構造がそれほど組織だっていないときには、私は目次をみていちばん知りたいと思う章を拾いだし、その終わりのほうの何ページかを読んでみます。そこに結論が出ていれば万事好都合です。出ていなくても、著者が言いたかったらしいことのおよその見当はつくことが多いでしょう。しかし終わりだけ読んでは、わからないところもあるかもしれません。そういう場合には、その章のページをはじめからめくりながら、わからない部分の説明が前に出ているかどうかを捜してみます。要するに、とばし読みの工夫は、本をページ数に従って読まない、必要に応じて、前からも、後からも、中間からも、はじめるということにつきるでしょう。そうして、とばし読みをしながら、全体のしかけをはやくつかむ。全体のしかけをつかんでしまってから読みたい部分を読むので、いきなり部分に没頭しないことです。

やさしい日本式速読術

しかし、また日本の本には、はや読みに好都合な特徴もあると思います。それはたくさんの表記法の併用ということに関係しています。第一に漢字、第二にひらがな、第三にかたかな、第四にアルファベットやローマ数字です。一般にアルファベットだけで表記する習慣のある国では、たとえば英語の本の場合のように、特定の言葉に読者の注意を喚起するために、大文字で印刷したり、書体を変えたり(たとえばゴチック、イタリックなど)、活字の間隔をあけて一つ言葉を長く印刷したり、下に線をひいたりしています。そういうことをしないで、一冊の本をはじめから終わりまで、ただふつうの字体のアルファベットだけで続けて印刷すると、ページをめくって見ただけでは、どこに大事な単語があるのかわかりにくい。どこに大事な言葉があるのかわからなければ、そのページでなにが論じられているのかもわかりにくいでしょう。要するに、英語の本でも読者の注意を特定の言葉にひきつけるための補助的な手段が、さまざまに工夫して使われているのがふつうです。

ところが、日本の本の場合には、漢字と「ひらがな」と「かたかな」が混じっているので、一ページのなかで、一つや二つの言葉を強調するのではなく、目をさらすだけで、かなり多くの単語が目立つように書くことができます。まず、目にはいってくる単語は、漢字の部分、それから「かたかな」が用いられていれば「かたかな」の部分でしょう。たとえば、あるページをめくって、「サラリーマン」「健康」「夏休み」「会社」「三%」という単語が一瞬間に目にはいってきたとしましょう。なにが書いてあるのか、もちろん読んでみなければくわしくはわからないけれども、おそらく、一方に「サラリーマン」「会社」ということがあって、他方に「夏休み」と「健康」ということがある。その間の関係について「三%」という言葉が暗示するように、なにやら実態調査ふうの報告が書かれているのだろうという想像はつくでしょう。そこまでのところがわかるまでには、ひじょうに短い時間しかかからないわけです。同じようなことを、私が英語の本についてやってみて比較することはできませんが、おそらく、十分に漢字に慣れさえすれば、漢字と「かたかな」を混じえた日本文のほうが、短いあいだに、たくさんの目立つ単語を拾いあげることができる、したがって内容を推定するのにも手間がかからないのではないでしょうか。

単語を見れば内容がわかる

私は、たくさんの表記法の同時的併用を、かならずしも弁護しているわけではありません。しかし、そういう表記法に一度慣れてしまえば、それがはや読みを助けるという一面はあると思います。これはけっして漢字の驚異的性質のためではありません。「犬」と書けば一字で犬とわかり「ＤＯＧ」と書けばＤ・Ｏ・Ｇと三つの字を読まなければ、犬とわからないなどというのは、要するに、その人が英語に慣れていない、というだけのことでしかないでしょう。慣れさえすれば、だれでも、Ｄ・Ｏ・Ｇとはなして読んで犬と理解するのではなく、三つのアルファベットをひとまとめの形として見て、犬と理解しているはずです。日本の表記法の特徴は、漢字ではなくて、漢字と「ひらがな」「かたかな」が混じっていることでしょう。そこでたとえば、「かたかな」だけを拾って、小説の内容を察することさえできる場合があります。「マイク」「ウイスキー」「グラス」「タクシー」「ヘッドライト」「レインコート」――漢字「ひらがな」混じりの文の字面《じづら》にこれだけの「かたかな」の言葉があれば、それが横文字のなかの「ゴチック」や「イタリック」と同じように目立つことはたしかでしょう。それは一目でわかります。それがかならずしも重要な単語ではない。しかし、それでも、これだけの単語から想像できることは、少なくありません。第一に、「タクシー」は時代を想像させます。それは現代でしょう。また、「レインコート」が出てくるので、天候は雨でしょう。場所はおそらく都会でしょう。話の筋は、「マイク」「ウイスキー」「グラス」の組合わせから想像すると、たぶん、なにかの多少表立った集まりがあって、主人公がそこから一人で家に帰る、または二人でどこかへしけこむといった見当のものでしょう。これだけの条件があって、多少小説を読み慣れた読者ならば作者の名前とつなげて考えて、そのページの内容の半分は、それ以上読まなくても、およそ想像できるのではないでしょうか。もちろん、小説はわかるために読むものではありません。いわんや、はやくわかるのが、小説を読む目的ではない。むしろ、わかってしまったことでも、ゆっくり読んでたのしむのが常道でしょう。しかし、とにかくはや読み法という観点からいえば、三つの表記法の併用には大きな利点があるということになります。

日本語の便利

しかし、日本の本のはや読みに適している理由は、かならずしも表記法にかぎりません。たとえば、知らない著者の政治に関する論文を開いて、そこに「階級」「人民」「大衆路線」「資本主義」というような言葉を見つければ、それだけで、その論文が保守党に反対し、いわゆる革新勢力に同情的であるだろうということを、ほとんど確実に察することができます。もちろん、英語やフランス語にも、いくらかそういう言葉がありますが、日本語の場合ほど多くはないでしょう。たとえば英語ないしフランス語で「人民」に相当する言葉は一つしかない、著者が保守でも革新でも、その同じ言葉が使われます。ところが日本語では、「人民」「民衆」「庶民」などというたくさんの単語があります。これは英(仏)語で一括してpeople(peuple)というものに相当し、その違いを見わけることは、たいへん面倒な仕事です。しかし、日本語の場合、一度覚えてしまえば、その違いによって、著者の立場の違いさえも想像することができるのです。そういうことは、英語やフランス語の本のなかではできません。「日本式はや読み法」の一つの要領は、同じ品物または対象を、違った立場の人がどういう違った言葉で呼ぶかを覚えて、逆に言葉の違いから、著者の立場や意見の傾向を、すばやく察することでしょう。

まず〝相言葉〟を見破る

もう少し一般的にいえば、日本では政治的グループにかぎらず、それぞれの社会的グループがそれぞれの、隠語とまではいかないけれども、そのグループ以外ではめったに用いられないいくつかの単語を持っていて、そういう単語を繰り返し使っています。むかしは軍隊にそれがありました。役所には役所の公文書にしか使われない言葉があります。また化学者と物理学者のあいだでさえも、一方が「恒数《こうすう》」といい、一方が「常数《じょうすう》」というのはまったく同じものです。国という大きな社会は、多かれ少なかれ閉鎖的なグループや組織に分かれています。そのグループや組織が独特の語彙を備えているということは、グループ相互のあいだの考えの流通をはかるうえに不便な一面を持っていると同時に、言葉の違いによって、たちまち所属のグループを確認できるという便利さもあるのです。闇夜に白《はく》刃《じん》きらめき、敵味方入り乱れて、「山」といえば「川」とこたえ、あの一瞬にして生死を決する相言葉の精神が、「保守」と「革新」、「物理」と「化学」、「大蔵省」と「農林省」――ありとあらゆる日本国中の組織・仲間・派閥・一味一党にゆきわたっているので、それを覚えるのは、面倒には違いありません。しかし一度覚えれば、便利このうえもないこと、すでに討入りの四十七士が経験し、闇討ちの新選組も経験したとおりでしょう。

一冊ではなく、同時に数冊読む

また本をたくさん読むには、一冊の本を読み終わってから次の本を読みはじめるのではなく、何冊かの本を同時に読んだほうがよい、——というよりも、おそらくだれでもそうせざるを得ないということがあります。それで混乱がおこらないかどうかを心配する人は、流行作家のことを考えてごらんなさい。わが国の流行作家は、何冊かの本を同時に読むのではなく、同時に書いてさえいるのです。一方の連載小説のなかでは、男女が大阪の地下の酒場で別れ話をしているところを書き、同じ日に、もう一つの連載小説のなかでは、東京の高い塔の上で結婚の相談をしているところを書く。それに比べれば、一冊の現代小説、一冊の平安朝日記、一冊の経済学教科書、一冊の聖書を、同時に読みすすめることなどは、なんでもないでしょう。四冊の本は、大阪の別れ話と東京の結婚話ほど似ていない。その内容・文体・背景がかけ離れています。そういうまったく互いにかけ離れた本を、一人の著者が書くことはできませんが、一人の読者が読むことはできます。同時に読む本が違った本であればあるほど、読む側の興味はいつも新鮮に保たれるでしょう。限られた日数、たとえば一月のあいだに、たくさんのページを読むためには、それがどうしても必要なことです。いくら経済学に興味があっても、一日教科書を読んでいるわけにはゆきますまい。本を読むことのできる時間が極端に短い場合は別ですが、たとえば雨の日曜日に家で本を読むとして、相手が経済学教科書だけでは、たちまち疲れてしまうでしょう。疲れてからも同じ本を読みつづけるよりは、大阪でも東京でもいいから男女相会する小説を開いたほうが、よろしい。そこで興味あらたに、覚えず手に汗を握り、さて風呂にはいって寝る前に、あまり長く手に汗を握りつづけているのも衛生によくないから、平安朝貴族の日記のまことに無味乾燥な漢文を読むとしましょう。読むこと一時間で、おのずから眠くなれば、まさに理想的です。もし眠るのが旅先で、ホテルの一室ならば、近ごろ聖書の備えつけてあるところが多いようです。そこで一時間聖書を読むこともできます。要するに本をたくさん読むには、同時にたくさんの本を読むほかありません。またある種の本は、とてもつづけて読み通すことができないようにできています。たとえばたいていの教科書は、そういうものでしょう。また必要に応じて、部分を読むためにつくられた本もあります。たとえば百科事典。また文学作品でさえも、毎日少しずつ読むほかないものがある。たとえば、アンドレ・ジッド（一八六九―一九五一）の日記。内容が断片的で多岐にわたっているから、つづけて読める読めないよりも、一時にたくさん読むことが無意味でしょう。あるとき私は、そのプレイヤッド版一巻を、話が尾籠《びろう》に渡って恐縮ですが、便所に備えつけ、その一年後には、おのずから大部分を読み終えました。その間、便所の外でほかの本を読まなかったわけではありません。読み通すことのむずかしい本であればあるほど、一日に少しずつ読む工夫をたてる必要があります。なにも便所にかぎらず、たとえば朝飯前三十分でもよいのです。身体の健康のために毎日体操をする人があるとすれば、精神の健康のために、毎日三十分、しかるべき本を読む人があってもよいはずでしょう。そして、それとは別に、もう少しはやく片づけることのできる本を、何冊か平行して読んでゆくということになります。

現代文学は速読すべし

しかし、要するに、速読法は仕事の能率化をおもな目的としているので、たとえば、文学については、その必要がないと考えられるかもしれません。文学には古典というものがあり、古典はおそく読めば読むほどよかろうということは、前に申しました。もし文学を古典から読みはじめるものとすれば、さしあたって速読法の必要はない。現に世の中の学識経験者、文人墨客《ぶんじんぼっかく》にきいてみると、「まず古典を読め」とおごそかに答える先生方が多いようです。しかし私は、かならずしもそういう意見に賛成しません。たとえば、小説・物語の類を例にとってみても、朱雀大路《すざくおおじ》などという見たこともない町の出来事より、銀座の裏通りの出来事のほうが、いまの私たちの生活に身近なことはいうまでもありません。どうせ美男と美女が出会うならば、こちらの知っている場所で出会ってもらったほうがわかりやすく、親しみが持てるというのが人情の自然でしょう。いや、場所柄だけではなく、出会ったうえで美男美女の口をついて出る科白、またはかすかにもらす溜息が、遣唐使の噂よりは欧米留学生の噂、嫉妬のあげくの生霊《いきりょう》の話よりは市営住宅団地のガス自殺の話であったほうが、わかりやすいでしょう。もし、むかしもいまも人情に変わりがないとすれば、その変わらぬ人情は、私たちの知っている場所で、知っている話題をめぐって展開してくれたほうが、わかりやすく、おもしろいはずだろうと思われます。同じ時代に住む著者の作品から文学を読みはじめるのは、自然である。同時代の作家の呼びかけに耳をふさいで、遠いむかしの人たちの墓場のかなたからの声にだけ耳を傾けるのは、不自然このうえもないでしょう。しかし、現代文学を読むとすれば、その数は限りなく、したがって、一定の速さで読まなければ、文学一般について、いくらか整理された考え方を自分で持てるようになるまでには、無限に長い時間がかかるでしょう。しかし現代文学を読みながら、自分の考えが整理されてきて、はじめて古典に対する自分の興味が湧いてくる。古典文学にたいするほんとうの興味は、どうも、現代文学を読みあさって、いくらかそれに飽きてきたときに、はじめて出てくるのではないかという気がします。

速読術は芝居の見方にも通用する

私はむかしパリに住んでいたときに、およそ二年のあいだ、たくさんの現代劇を見てまわり、その一つ一つをたいへんおもしろいと思いました。パリにはたくさんの劇場があって、各国の芝居の翻訳も上演されているので、そういうことを続けているうちに、アヌイ(フランスの劇作家、一九一〇—八七)からモンテルラン(フランスの小説家・劇作家、一八九六—一九七二)まで、ハウプトマン(ドイツの小説家・劇作家、一八六二—一九四六)からブレヒト(ドイツの劇作家、一八九八—一九五六)まで、テネシイ・ウイリアムズ(アメリカの劇作家、一九一一—八三)からT・S・エリオット(イギリスの詩人、一八八八—一九六五)まで、チェホフ(ロシアの小説家・劇作家、一八六〇—一九〇四)からゴーリキイ(ロシアの小説家・劇作家、一八六八—一九三六)までひととおり現代劇のからくりがわかってきました。そうして二年ののち私は評判の現代劇の小屋を片っぱしから見物に行くという興味を失い、見ないうちから、どれでもつまるところ同じような劇的対立をしか含んでいないと思うようになり、そう思うのとまったく同時に、はじめてモリエール（フランスの喜劇作家、一六二二―七三）やラシーヌ（フランスの悲劇作家、一六三九―九九）やソフォクレス（古代ギリシャの悲劇詩人、前四九七頃―前四〇五頃）の古典劇に強い興味をおぼえるようになりました。そのとき私は古典劇を見るべきだと思ったのでなく、古典劇のほかに見たいものがなくなってきたのです。そういうことは、パリで芝居を見ていた二年間の初めではなく、最後におこりました。私はいまでも、それが逆だったらよかったろうとは思いません。というよりも、逆ではあり得なかったろうと感じています。なぜなら、それは知識や考えによってそうなるのではなく、経験によってそうなるほかはないことだからです。文学作品を読んだり芝居を見たりするのは、一種の経験です。経験の集積にはそれなりの秩序があります。その秩序は、知識の集積にあらわれる方法的な秩序とは、まったく別の種類の秩序です。とにかく、私が古典劇を発見するためには、かなりたくさんの現代劇の見物という経験が必要だったのでしょう。芝居の見物だけではなく、たぶん、文芸にかかわる読書の一般についても、同じことがいえると思います。

おくれは、とりもどせる

しかしまた、こういうこともあります。戦争の前ならば、旧制の中学校から旧制の高等学校へはいったとき、いまの制度ならば、新制高等学校から大学にはいったときは、少なくともある人びとにとって、一種の転換期です。入学試験の前に教科書を繰り返し読んでいたということは、そのほかの本をほんのわずかしか読まなかったということでしょう。ところが入学試験がすんでいくらかひまができ、知的な世界の一端に触れてみると、世の中には無数の本があるということに気がつきます。またその多くの本が、むかしの本をふまえていて、そのむかしの本が、これまた無数にあるということに驚きます。たとえば、雑誌の論文を一つ読んでみても、そこにマルクスが引用され、ケインズ(イギリスの経済学者、一八八三—一九四六)が引用されている。教科書のなかではそういう思想家の仕事の内容は、ほとんどまったく説明されていなかったのですから、もし雑誌の論文を十分に理解しようと思えば、大急ぎで、マルクスがどういうことを考えたのか、ケインズがどういう説を立てたのか、少なくともその要領を心得なければならないということになります。ケインズの代わりに、マックス・ヴェーバー(ドイツの社会学者、一八六四—一九二〇)の出てくる論文もあるかもしれません。これまた学校では教えてくれなかったものです。つまり、入学試験に合格したあとで、おそらくほとんどすべての学生諸君が感じるだろうことは、いま、この世の中で、ものを考えてゆくうえにどうしても必要な過去の思想を勉強することは、本来、入学試験準備とはまったく別のものであるということ、大急ぎでいま直ちにその勉強をやり始めるか、あるいはいっそあきらめて、学校の成績をあげることだけに努力を集中するか、それともマックス・ヴェーバーを知るよろこびよりはもう少し手軽なよろこびのほうに専心するか、一種の岐路に立たされるわけです。どの道がよろしいか、それは人によるでしょう。だれにもよい道というものはありません。

しかし、もし学生諸君が第一の道、入学試験準備の勉強とは別の勉強をやってみようという決心をするとすれば、当面の目的を達成するためにも、読むべき本は、過去・現在に数かぎりなくあるということになります。速読の必要はそこにあるのです。マルクスを一度も読んでいなくて、社会学の話はできません。デカルト(フランスの哲学者、一五九六―一六五〇)を一度も読んでいなくては、哲学の話はできません。いくらか筋道を立てて文学の話をするには、どうしても「万葉」「源氏」「平家」「西鶴」「近松」「鷗外」「漱石」が必要でしょう。いや、そればかりではなくて、世界文学全集の少なくとも一部分が必要だということになるかもしれません。また歴史について、音楽や美術について、およそ、そういう事柄については、ものを考えるうえに、必要な本というものがあり、そういうことについて他人の言っていることを理解するためにも、読んでおかなければならない本というものがあります。

そういう本を読んでおくのは、あたかも、旅をするのに自動車を使うようなものです。他の旅行者が自動車で走っているときに、自分だけ歩いているのでは、とても同じところへ到達する望みはありません。自動車の運転を習うか、出かけることをあきらめるか、どちらかでしょう。二十歳前後の青年が入学試験のあとで立たされる岐路は、運転を習って出かけるか、それとも習うのをあきらめて出かけないでおくか、そのどちらかにするかという選択に似ています。そこでもし運転を習う決心をしたとすれば、これは自動車操縦法などとはくらべものにならぬほど、習うことが多い。どこからはじめるかなどということよりも、なにしろはやく読まなければならぬということになりましょう。

一日一冊主義は効果があるか

作家の杉浦明平《みんぺい》さん(一九一三―)は、月に一万ページを読むのを原則にしている、といううわさを聞いたことがあります。なんでもよいから、とにかく月に一万ページは読むということらしい。月に一万ページは、一冊平均三百ページとして、およそ一日一冊ということです。私も高等学校の生徒であったとき、ページ数にはこだわらず、「一日一冊主義」という計画を立てたことがあります。外国語の本を一日一冊読むこととは、そのころの私には不可能だったので、外国の著者の場合には翻訳を利用することとし、また、もちろん厚い本も不可能なので、主義を実行するためにはなるべく薄い本を選んでいたようです。それでも、ことさらにやさしい本を選んだわけではありません。そうして私は親鸞(一一七三—一二六二)の『歎異鈔《たんにしょう》』や源実朝(一一九二—一二一九)の『金槐和歌集《きんかいわかしゅう》』や西田幾多郎(一八七〇—一九四五)の『善の研究』、またカント(一七二四—一八〇四)の『プロレゴーメナ』やベルクソン(一八五九—一九四一)の『形而上学』、マルクスの『賃労働と資本』や『ドイッチェ・イデオロギー』などを、一日一冊主義の枠のなかで読みました。つまり手当たりしだいということです。そういう本を予備知識のない人間が、一日でほんとうに読み終われるはずはありません。じつは読み終わったのではなく、ほとんどなんにもわかってはいなかったのでしょう。それでも、まったく読まないよりはいい。懇切丁寧な解説書を読むよりは、たとえよくわからなくても、古典そのものに触れておいたほうがいいということはあるでしょう。私は、しばらくそういうことを続けていましたが、根気が続かず、二年か三年のうちに「一日一冊主義」の鉄則をみずから廃しました。

しかし今でも、ときどき、杉浦さんの「一万ページ」主義をうらやましいと思うことがあります。「一日一冊主義」で、その本の内容を十分に汲みとることはできないのがふつうでしょう。しかし、とにかく読み通せば、その本の著者との何時間かのつきあいになるし、一日に一度、もう一人の人格との何時間かのつきあいは、私の人生に変化を与え、刺激を与え、たのしみを与えてくれます。しかもその相手の人格たるや、そこらの解説者とは違って、親鸞その人であり、マルクスその人なのです。まだ読んだことのない著者、そして、もし読めばおもしろいに違いないだろうという著者は、つねに数かぎりなくあるものです。いや、たとえ一度読んだことがあるにしても、歳月がたち、読む側も変わったあとでは、そこに読みとるものもまた、まったく違ってくるでしょう。新しい本を読むのと、大きな違いはないかもしれません。

こうすれば、外国語の本は速読できる

いま言ったように、私が速読法に熱中し、一日一冊主義を自分に課していたころ、小林秀雄さんが私たちの高等学校へ講演にきたことがあります。私は、一日一冊主義を守るた

めには、すべての外国語の本を翻訳で読むよりほかないと考えていました。ところが小林さんは、外国語の本を読むのにも、一日一冊を片づけられる程度の速さがなければ、そもそも外国語の知識というものは使い物にならない、という演説をしました。どうすればそういう速さで外国語の本を読むことができるか。教室で読むように、ていねいな読み方をしていたのでは、らちがあかないでしょう。翻訳のある小説を買ってきて、原書を右手におき、翻訳書を左手において、左の翻訳書を一ページ読んでから、右の原書の一ページを読む、字引は使わない。わからないところはとばす――そういうやり方で一日一冊を読んで一年に及べば、おのずから翻訳なしに外国語の本を一日一冊片づける習慣がつく。おのずからその要領をつかむこともできるようになるだろうというのです。私はその方法を実行してみました。これが外国語を学ぶのに、もっともよい方法だというのではけっしてありません。背に腹はかえられなかったのです。とにかくはやく読む必要があり、「急がば回れ」と考えるためには、私はそのころあまりに急ぎすぎていました。私はその後、外国で暮らすことが多くなったので、外国語の本の読み方も変えましたが、もし、そういうことがなかったら、いまでも同じ流儀に従っていたかもしれません。もう翻訳書を片側におく必要はなくなっていたでしょう。しかし、わからないところは、とばしていたでしょう。

しかし、とにかくある程度はやく読まなければ、どうにもならぬのです。

はやく読む方が理解力も高まる

はやく本を読むということは、たくさんの本を読むということです。それはまた、それぞれの本をおおざっぱに読む、ということにもなりがちでしょう。しかし、いつまでもそうなのでしょうか。本というものは、よくわかるためにはおそく読めば読むほどよくわかり、はやく読めば読むほどよくわからないということでしょうか。どうもそうばかりとはいえないようです。もちろん、はやければはやいほど、よくわかるわけではありません。しかし、おそければおそいほど、よくわかるということもない。本を読んでそれをよく理解するためには、その本および読者に応じて、一定の適当な速さがあるのではないかと思われます。そのもっともよい例は芝居の脚本です。芝居の上演時間は二時間です。二時間でその脚本を読むのはふつうでしょう。しかし、八時間でそれを読むのはあきらかにおそすぎます。本来ならば、二時間でしゃべれるように書かれている芝居を十分に評価するためには、原則として、およそ二時間前後で読むのが理想的だといえましょう。また、たとえば『平家物語』のように、本来「語り物」で、よどみなくそれを語れば、一定の時間に話が終わる。そういうものを一カ月かかって読みあげるとすれば、少なくともその芸術的な効果がたいへん失われるだろうと考えないわけにはいきません。もちろん、はじめて『平家物語』を聞いた当時の聴衆に、たとえば四時間でわかったことも、時代の違いのために、いまの私たちには八時間でなければわからないということはありましょう。もし一字一句をあきらかにするということになれば、四十時間でも足りないかもしれません。すべてをわかるためには、歴史的な知識や語学的な注釈が必要だからです。そこで、一字一句を調べて四十時間を費やすのと、わからぬところはとばしても四時間で片づけるのと、――もし一度だけ『平家』を読むとすれば、どちらがよく『平家』を理解したことになるか、これはおおいに疑わしいと思います。ことに原作が、日本の古典ではなく、外国の古典である場合にはなおさらです。ホメロス(古代ギリシャの叙事詩人)はギリシャ語で読まなければ味がわからないといいます。しかし、ほんとうにそうでしょうか。

一行一行の響きは、もちろん翻訳で読んだだけでは伝わってこないに違いありません。私も、ホメロスをギリシャ語で読もうとしたことがあります。ギリシャ語をろくに知らなかったので、五行読むのに半日かかりました。これはもちろん標準にはならないでしょう。しかし、相当にギリシャ語のできる人でも、一日に百ページを読みとばすことはむずかしいでしょう。何カ月かで読みあげたというのが、少なくとも、日本の一般読者に期待できる最上の限度ではないでしょうか。もしそうならば、私が翻訳で二、三日で読みあげた『イリアッド』と比較して、どちらがよりよくホメロスを理解したか、おおいに疑わしい。話の展開するリズム、緩急の妙、また、あるいは途方もない繰り返しの退屈さ、また、それにもかかわらず部分的には闇夜に星の輝くように印象的な描写、奇妙にするどい現実感覚、思いがけないときに現われる、心理的な場面のおもしろさ、そういうことの全体を総括しての『イリアッド』の世界、――それは、二日か三日で翻訳を読めば、じつによくわかります。しかし半年におよぶ原文との格闘において、はたして明瞭にとらえることができるかどうか、あやしいものです。だから、本を読むのにおそければおそいほどいいということはなく、かえって多少の犠牲を払っても速さを尊ぶことは、かならずしも時間の経済のためだけではなく、作品の本質を理解するためにも必要な場合があるだろうと思うのです。

5　本を読まない「読書術」

一冊だけ読むことが、読まない工夫の第一歩

「汗牛充棟《かんぎゅうじゅうとう》」とむかしの人は言いました。牛に積めば牛が汗をかき、家に入れれば棟にとどくほどの本を集める人はいるでしょう。しかし、それほどたくさんの本を読む人は少ないでしょう。蔵書家はかならずしも多読家ではありません。また、はやく読もうと、おそく読もうと、どうせ小さな図書館の千分の一を読むことさえ容易ではない。したがって、「本を読まない法」は「本を読む法」よりは、はるかに大切かもしれません。もっとも、ここに百冊の本があるとして、そのなかの九十九冊を読まないですませるということは、つまり、一冊を読もうと決めるのと同じことです。読む本の選択と読まない本の選択とは表裏の関係にある。目的を立てて、その目的のために本を読む、そのほかの本は読まないと決めるのも、本を読まない工夫の第一歩であり、基本であるわけでしょう。

たとえば、どういう題目についても、その題目についての知識を要約している基本的な本を一冊読み、そのほかの本を読まない、ということが考えられます。入学試験の準備のことを考えてみても、いわゆる参考書の類をたくさん読んだ学生が、かならずしも試験に

通るわけではありません。むしろ教科書をよく読み、なにか一冊の参考書を選んで、その本をよく理解し、記憶した学生のほうが、世に行なわれているたくさんの参考書をあれこれと読みあさった学生よりも、かえって成績がよろしいということは、よくあることです。入学試験にかぎらず、どういう水準でのどういう題目についても、およそ同じようなことがいえるのではないでしょうか。ものごとに即して知識の根本をとらえ、枝葉末節は忘れて暮らすとでもいいましょうか、その場にのぞんで適当に補ってゆく。他人の意見に右顧《うこ》左眄《さべん》しないというゆき方です。もちろん、いっさい本を読まなくては、ある程度以上の知的な生活を営むことはできません。しかし、そうたくさんの本を読まなくても、仕事をりっぱに処理し、人生をりっぱに生きてゆくことはできるでしょう。

一人の作家とだけつきあう

また文学、なかでもことに近代文学についていえば、近代文学の特徴は作家の個性の表現ですから、一人の作家の一つの作品をおもしろいと思ったら、その作家の書くものだけを集めて読むというのも、一法でしょう。ほかの作家の作品は、ベストセラーであろうと、書評でほめられていようと、また好奇心を刺激するような広告をみようと、いっさい無視して読まない。たとえば私は、中学校の生徒だったときに、芥川龍之介全集を読み、そのほかの作家をほとんど読みませんでした。また後になって芥川龍之介(一八九二―一九二七)に満足できなくなったときに、森鷗外の全集を読み、そのほかの作家のものを読むことが少なかったと思います。また外国文学についても、私はまず手にはいるかぎりのヴァレリー(フランスの詩人、一八七一―一九四五)を読み、それから手にはいるかぎりのサルトル(フランスの哲学者、一九〇五―八〇)を読みました。明治以後の日本の作家について、永井荷風(一八七九―一九五九)はもっと徹底した態度をとっていたようです。晩年の荷風はみずから鷗外以外はいっさい読まないといっています。明治以後といっても作家の数は多いので、どの作家ともつきあっていたら、おそらく踊子とつきあう時間もなくなっていたことでしょう。もし生きて活動している一人の作家を読みつづけるとすれば、読者が若いときには作家も若く、読者が年をとるにつれて作家もまた年をとってゆくので、その作家の発展を自分自身の興味の発展と並べながら、細かくたどることができるというたのしみもあります。たとえば私は石川淳(一八九九―一九八七)や中野重治(一九〇二―七九)という作家の仕事を、少なくとも戦後つづけて読んできました。そうすると、同じ時代をそういう作家といっしょに歩いてきたという感じがします。向こうも変わるが、こっちも変わる。それにもかかわらず、一種の精神的なつながりは維持されてゆく。そういうたのしみは、若いときにある作家を読み、年をとるとまた別の作家を読む、あるいは自分の年に関係なく、そのときどきの流行の作品を読む、あるいは若いときには総合雑誌を読み、会社のなかで地位が上がるにしたがって娯楽週刊誌だけを読むという場合には、期待できません。文学をわかるために、あるいはもしかすると、書物を通して理解できるかぎりで、人間が生きてゆくということを理解するためにも、一人の作家と長くつきあうのは、よい方法だろうと思われます。

悩みが消え、熱い頭も冷える本

しかし、何事も目的に応じてやり方を工夫しなければなりません。もう少し文学についていえば、悟りをひらき、安心立命《あんじんりゆうめい》の境地に達するためにいちばんよいのは、喜劇を読むことでしょう。たとえばアリストファネス(古代ギリシャの喜劇詩人、前四四五頃―前三八五頃)や、狂言や、江戸時代の川柳・雑俳《ざつぱい》の類は、保守対革新、資本主義対社会主義、平和運動と自衛隊強化などに熱中し、思いつめ、怒り心頭に発し、世をはかなむ者にとっては、このうえもない解毒剤になるでしょう。たとえば、アリストファネスの『女の議会』のむかしから、平和運動があったということばかりではなく、それを性生活の機微《きび》にからませて、冗談めかし、しかも立派に筋を通す人間の知恵のあったということがよくわかる。またイデオロギー闘争に熱中しているうちに、なにが目的で争っているのかわけがわからなくなり、大混乱におちいることは、いまにはじまったことではなく、たとえば、狂言『宗論《しゅうろん》』の時代にもそれがあったらしいということがわかります。

政府が人民大衆を監督し、教え諭し、ついでに「親心」を示して子ども扱いにしようとする例は、徳川幕府の寛政の改革を皮肉った、あの有名な「世のなかにかほどうるさきものはなし文武といいて夜も寝られず」の時代からの古い習慣だということもわかるでしょう。そういうことがわかって、どうなるわけのものでもありませんが、悩んでいるのが自分だけではないということがわかれば、それだけでも悩みは軽くなり、熱くなった頭も冷えてくるでしょう。そこまでゆけば、悟りとまではいかなくても、少なくとも安心立命の境地にいくらか近づいたということになる。なにも闘争だけではなく、たとえばベン・ジョンソン(イギリスの劇作家、一五七二―一六三七)の芝居『ヴォルポーネ』を読めば、うまくやったと思うやつがとんだところで仇《あだ》をとられる世の中の仕組み、また、たとえばモリエールの『人間嫌い』を読めば、正義人道の信念にこりかたまり、想像力のない人間が、どれほど厄介なものであるかという顛末が、手にとるごとくわかるでしょう。そういう世の中の仕組み、人の性格の生み出す喜劇は、たぶん、いまもむかしも同じことなので、私たちの人生に悟りをひらくためにも、ベン・ジョンソンやモリエールが助けになるはずです。またジロドゥー(フランスの劇作家、一八八二―一九四四)やネストゥロイ(オーストリアの劇作家、一八〇一―六二)の喜劇を読めば、ある時代のある社会でのしきたり、ものの価値の判断の基準などはまったく相対的なものにすぎず、所変われば品変わる程度のものにすぎないということが、おのずから感じられるでしょう。そうすれば、私たちの住んでいる社会のいまの風俗、習慣、正義、人道、すべての表看板も絶対にたしかなものであるわけがなかろうということ、また、その不確かな表看板にさえ実行のともなわないのが、この世の習いであろうということ、およそ安心立命などというものも、その辺のことを合点する以外の工夫ではなさそうだ、ということなども、おのずからわかってくるでしょう。

今晩から愉快に、幸福になれる本

また、逆に悩みぬいて安心立命を求めるのではなく、もっと直接に、今晩から愉快に、幸福になりたいと願う人は、悲劇を読むにこしたことはない。悲劇のなかに登場する人びとは、たいてい惨憺たる境涯に生きているので、そういう主人公たちにくらべれば、自分の環境がどれほどすばらしいかとだれでも思うでしょう。たとえば『ペスト』のなかで、町中一網打尽にたおれてゆく北アフリカの悲劇の世界にくらべれば、わが家に少し雨漏りがするくらいのことは、なんともなくなる。「この世のなごり、夜もなごり、死ににゆく身をたとうれば」――という近松浄瑠璃の恋人たちにくらべて、会社の同僚と媾曳《あいびき》をするのに、ほかの同僚の目がうるさい程度の不都合は、まるで太平楽にしかすぎないでしょう。なにも芝居にかぎりません。主人公にくらべてわが身の幸福を知るのは、悲劇的な物語を読む功徳の第一です。しかしそれだけではない。人の心の本性は危機に臨んで現われるのです。ところが、自分自身に満足するための大切な条件の一つは、人間の本性についての深い理解を持つことで、悲劇を読むことはそういう理解を育てるためにも役立つでしょう。同じことを別の言葉で繰り返せば、特別な危機の瞬間しか現われないような人間性の本質に対する理解を、私たちの日常生活のなかに持ちこんでくれるのは、悲劇的な作品です。たとえば『源氏物語』のなかにも、『平家物語』のなかにも、また能や近松(一六五三―一七二四)のなかにも、西鶴(一六四二―九三)や漱石のなかにもそういう悲劇的な要素が含まれています。もちろん、日本以外の国にも多くの文学があって、そういう役割を果たしています。数えあげればきりがないでしょう。

たとえばギリシャ悲劇の主人公である英雄豪傑たちは、神託によって、その運命を定められています。「おまえはいつかおまえの父親を殺すであろう」と神がいいます。――それがいつ、どこでなのかわからない。主人公は、そのとき、父親と別れて育っていて、父親の顔を知らないのです。やむをえない紛争から人を殺した英雄は、そのあとでそれが父親であったことを知って、後悔し、みずから両眼を穿《うが》って盲人となり、放浪の旅へ出る、――そんなべらぼうなことがめったに起こるものではありません。しかし、そのめったに起こらぬ状況において、あきらかにされるのは、知らずして犯した罪の呵責《かしやく》、とり返しのつかない人生、その人生をあやつる個人の意志を越えた力ではないでしょうか。私たちの罪は親殺しではないでしょうし、私たちの人生をあやつるのはギリシャ人の神ではないでしょう。しかし、たとえばいくさ、また一般に大きな社会現象のすべては、個人の意志を越えて、個人の人生を支配するものなのです。また、その人生において、知らずして犯さざるをえない罪も、数かぎりなくあるはずでしょう。ギリシャ悲劇の極端な状況のなかであきらかにされる「人間の条件」は、私たちの日常生活の状況にも備わっているといってよいと思います。ジュリアン・ソレル（『赤と黒』の主人公）ほどの出世をだれでもするわけではないが、だれにも出世欲はありましょう。アンナ・カレーニナ（『アンナ・カレーニナ』）ほど激しくだれでもが惚れるわけではないが、夫以外の男に惚れる妻も少なくないでしょう。どこのセールスマン(『セールスマンの死』)でも自殺するわけではないが、商売がうまくゆかず、家庭では月賦が払えず、それが家族の紛争にからんでくるとして、自殺を一度ぐらいは考えたセールスマンは少なくないでしょう。

読まないでも内容がわかる法

要するに、目的をはっきりさせて、その目的のために特定の本を選びだし、そのほかのいっさいを無視するのが「本を読まない法」の根本です。しかし、もちろん、もっと広く知りたいという場合もあり、また特定の目的のために必要とする本は数多く、それをどうしても読みきれないという場合もあります。たとえば歴史学者は、経済史や法制史の領域でどういう本が出ているか、その内容をざっと知りたいでしょう。しかし、そのすべてに目を通すことはとうてい不可能です。また経済学者が、最近の歴史学や社会学の動向について知りたいと思うとき、数かぎりない新刊書に目を通すことはできません。また一般に、一人の自然科学者が、近頃の文学にはどんなものがあるかを、ざっと知りたい場合もあるでしょう。またなにも学者にかぎらず、一般勤め人と勤め人とが相会する場所が、酒場であろうと、喫茶店であろうと、話題は野球・ゴルフ・自動車・映画・社会事情だけではなくて、談たまたま新刊書に及ぶということはありましょう。井上靖(一九〇七—九一)・松本清張(一九〇九—九二)両作家の小説は、だれでも一度は読んだことがある。しかし谷崎潤一郎(一八八六—一九六五)の小説、笠信太郎(一九〇〇—六七)の『花見酒の経済学』、いわゆる「白書」とその批判、アメリカでのベストセラー『第三帝国の興亡』、そのほかいろいろということになると、だれでも読んだことがあるとはいえないでしょう。そういう本をみんな読む時間がない。しかし、そういう本についていくらか知っていたほうが便利である。勤め人が勤め人と相会するときにも、セールスマンが客と話すときにも、また男女ひそかにまたは公然と相会するときにも。そこでみずから読まない本について知るために利用できるものは、まず第一に書評です。第二に、いわゆるダイジェストまたはアブストラクト

——抄録の類でしょう。

書評はどのように活用すればよいか

書評はイギリスでもっとも発達しているように思われます。週刊誌ですぐれた書評欄を持つものが多く、そこでは、哲学、歴史、社会科学、自然科学、文学、芸術などにおもな

本が分類されていて、それぞれの本についての記述には長短がありますが、大切な本については、その内容をある程度まで察することができるように十分の誌面が与えられていいます。書評の内容も多くは、やたらにほめるばかりでなく、また単なる悪口でもなくて、ほとんどつねに評価と批判の両方を含んでいます。一般の読者のための英語の本については、そういう週刊誌の書評欄の一つか二つを毎週読んでいれば、たとえ一冊の本を読まなくても、全体のおよその傾向を察することができます。もし、それほどのひまがなければ、様子を知りたいと思う領域の、たとえば歴史なら歴史の部門の書評だけを、毎週読めばよいでしょう。しかし日本の場合には、網羅的で、信頼することのできる書評欄をつくるのは、これからの仕事だと思います。さしあたっては、いまある雑誌・新聞の書評欄を利用するほかはありません。

残念ながら日本では、書評専門の週刊誌でさえ、取りあげられている本の分類がゆきとどいているとはいえない。実際に、大切な本はそれほど落ちていないのかもしれませんが、分類がゆきとどいていないと、取りあげられる本と、取りあげられない本との選択にいくらか偶然があって、大切な本が落ちているかもしれないという不安があります。また、一冊の本に捧げられた誌面が少なくて、その本の内容を察するのがむずかしい。書評家の態度そのものも、多くはほめたたえるだけで、具体的な批判を含んでいないことが多いようです。書評欄を読んで実際には読まない本の内容を知ることは、イギリスの場合よりもはるかに困難でしょう。

しかし不十分な書評欄でも、何冊かの雑誌・週刊誌のものをあわせれば、ある程度までは、それを読書の代用とすることができます。たとえば新約聖書の新しい訳が出たというような場合、専門家の書評を読めば、それがどういう文章で訳されているのか、旧訳と比べてどういう解釈がよくなっているのか、というようなことが簡単に察せられます。そして、それが察せられれば、旧訳を読んだ人は、かならずしも新しい訳の本を手にとってみなくてもよいでしょう。新しい口語訳の目的は、まだ読んだことのない人のために、聖書を近づきやすいものにするということだろうからです。また、たとえば、経済学者が論争をして、論争の過程で本を書いているとしましょう。私は争点の概要を知りたいと思うけれども、自分で何冊も本を読んで、双方の言い分を調べているひまがない。そういうときには書評専門の週刊誌の紹介を読んで間に合わせます。

耳学問の効用

また書評は、かならずしも新聞・雑誌に印刷されるものではない。日常会話の折りにふれて、「こういう本を読んだが、おもしろかった……」というような話をする人がいます。これはいわば口伝えの書評でしょう。印刷された書評には質問できないけれども、口伝えの書評には必要に応じて質問できるという利点があります。たとえば亡くなったカナダの外交官で、日本歴史の研究家であったE・H・ノーマンさん(一九〇九―五七)は、そういう話をよくしました。「プリニウスの書簡には……」とか、「ジョン・オーブリがこういうことをいっていますよ……」とか。私はプリニウスも、ジョン・オーブリも読んだことはないけれども、ノーマンさんの話を聞いたおかげで、いくらか彼らがどんなものを書いたのか想像することができる。西洋人にはそういう人が多いけれども、日本でも少なくないようです。河野与一《こうのよいち》さん(一八九六―一九八四)や、丸山真男《まるやままさお》さん(一九一四―九六)、川島武宜《かわしまたけよし》(一九〇九―九二)教授や渡辺一夫《わたなべかずお》(一九〇一―七五)先生、その他ここに数えきれない私の友人や知人は、外国でも、日本でも、私の読むことのできないおもしろい本をたくさん読んでいて、その話を日常座談のなかに折りこみます。朱に交われば赤くなる。つきあいの相手が無学文盲だと、こっちもそうなりがちであり、つきあいの相手に学問知識があると、俗に耳学問というものがバカにならない。本を読まずにいても、よいつきあいはそれを補ってくれるようです。

「ダイジェスト」の口車に乗らないこと

「ダイジェスト」というもの——多くの雑誌に現われる論文や記事の定期的な抄録は、事柄によってはたいへん役に立ち、事柄によってはただまちがいのもとであり、読み方によってはこのうえもなく便利なもので、読み方によっては読む人を浅薄にする以外になんの効用もない。抄録雑誌の類は、それが社会生活、ことに政治にからんでの社会問題を多く扱っている場合には、人を誤らせる危険の大きいものでしょう。そういう事柄については、人によって意見の違うのが当然です。またことに、国内的な規模でも、国際的な規模でも、二つの勢力が争っているときには、特定の編集者に、いわゆる客観的で公平な立場を、期待することはできません。ところが抄録の場合には、第一に、何を抄録するかということ、第二には、それぞれの論文または記事のどの部分を抄録するかということ、その二重の仕事に、どうしても編集者その人の意見や傾向が現われます。しかし編集者は、そこでみずから論文を書いているわけではない。いわば、他人の論文の、または記事の断片を並べることによって、読者に、あたかもそれが論壇の客観的な見取り図であるかのような印象を与えながら、じつは自分自身の意見を表現しているということになりがちです。読者は、現在発表されているたくさんの意見を手ばやく見通したような気になりながら、じつは一人の、または数人の編集者の手中におちいっているということになりましょう。他人の意見をなるほどと思うことが悪いのではありません。しかしそのためには、その他人がだれであるかが、はっきりしていなければならないし、また相手方の意見が明瞭で、こちらが賛成する理由もまた明瞭でなくてはなりません。だれだかわからない陰の人物の意見を、無意識のうちに自分の意見の内容としているということほど危険なことはないでしょう。

もう一度繰り返しますが、そういう危険は、抄録雑誌をつくる人たちが対立するグループ、または国家、または陣営のいずれか一方の側に属している場合に、別な言葉でいえば、この世の中に紛争があり、編集者が直接、間接に当事者である場合に、もっとも大きくなるのです。人生の大事について、他人の口車にのせられる人間は浅薄です。冷戦の時代に米ソの対立があって、アメリカの抄録雑誌に与えられている材料からソ連の社会を判断するとすれば、それもまた浅薄といわざるを得ないでしょう。その逆もまた同様です。

そもそも抄録雑誌、いや、雑誌にかぎらず、一般に抄録なるものの読み方にも、いくらか注意が必要な面があります。絶えず抄録ばかりを読んでいると、物事をはじめから終わりまで考える習慣がなくなるかもしれません。要領らしきものだけがわかって、全体がわからない。いや、要領がわかればよいほうで、そういうことを繰り返しているうちに、与えられた全体から自分で要領をとり出すという、おそらく人間の知的な能力のなかで、もっとも大切な能力がにぶくなってくる可能性さえあります。

たとえばラジオの音楽の番組に、つぎからつぎへと別の音楽の断片をテープに吹きこんでつないだものがあります。たいへんよくできた仕組みで、一定の「ムード」をかもし出すのには役立つのでしょう。たいていの人はそういう番組をしかるべきときに利用し、ほかのときには交響曲を始めから終わりまで聴きます。しかし仮にそういうテープだけを聴いている人があるとすれば、音楽に浅薄にしか触れないという習いの性となるのを避けがたいでしょう。同じことが読書についてもいえるわけで、抄録を利用するときには、しかるべきときに利用しなければなりません。抄録だけでできあがっている人間の頭は、結局、使いものにならない頭だろうと思われます。

しかし、この世の中には、絶えず紛争と、戦いと、政治的な宣伝とだけがあるわけではありません。そういうことにほとんどまったく関係のない人間活動がたいへん広い。たとえば、自然科学のほとんどすべての領域は、そのよい例になるでしょう。今日ではすべての科学技術が極端に専門化し、そのせまい領域だけでも世界中にたくさんの専門雑誌があり、その専門雑誌に発表される論文たるや、いよいよ増えてゆくばかりです。研究室の学者、研究者、技術者は、その学問、技術の発展進歩を、どうしても追いかけてゆかなければなりません。そういうことをやりながら、他方では自分の考えを組みたて、自分の問題を解くために実験を計画し、実行し、その資料を整理し、分析し、結論をくだすという仕事をしなければなりません。時間はいくらあっても足りない。いちおう要領を心得ておかなければならない文献はひじょうにたくさんあり、そのために用いる時間はたいへんかぎられています。全世界の学者、研究者、技術者が当面しているこの同じ困難に対して、いま考えることのできるただ一つの解決法は、専門雑誌の文献の抄録を定期的に刊行することであり、そういう国際的な抄録雑誌は、どこの研究室にも、専門図書館にも、備えつけられています。それを必要に応じて見ること、そのなかから自分の研究題目に関係のある文献をひろい出して読むことは、もとより便不便の問題ではなく、すべての研究者にとって絶対的に必要なことです。そういうことをやっていない学者はいません。それもまた、読みきれない本を、読まずにすます工夫の一つです。そして、どうせそういうことをしなければならぬとすれば、抄録は大がかりで、組織的であればあるほどよいのです。しかし、それは一般読者の話ではありません。話をもう一度一般読者に、いや、そもそも一般に本を読まないですませる工夫に、もどすことにしましょう。

相手から必要な知識を引きだす術

たとえば、若く美しい婦人が、ただ若く美しいばかりでなく、同時に「知的」にみえるためには、いくらか本を読まないというわけにはいかないでしょう。しかし、あまりたくさん読んでいては、化粧の時間がなくなります。また実際「知的」な印象を人に与えるためには、かならずしもたくさんの本を読む必要はありません。またたとえば、新進気鋭の課長が、会議にどういう文献が持ちだされても、少しもさわがず、その文献について数時間の議論を上下するためには、かならずしも、その文献を読んでおく必要はありません。読んだことのないのはもちろん、まるで聞いたこともない本について、自由自在に会話することは、工夫しだいで、かならずしも不可能ではない。

たとえば、だれかがこちらの読んだことのない本について話しだしたとしましょう。そのときこちらは、間髪を入れず、「あれはおもしろい」といいます。もし、その本を話しだした人がおもしろいと思っているとすれば、打てば響くこちらの反応に勇気づけられて、当然、その本の内容をおおいにしゃべり出すはずでしょう。もしその人にとって、その本がおもしろくなかったとしたら、「いや、あれはつまらないですよ」とかなんとかいうに違いない。そのときには、「でも、私には興味があるわ」といえば、どういうことになるでしょうか。もちろん相手方は、なぜその本がおもしろくないかという理由を説明しはじめるでしょう。いずれにしても、だれかが一冊の本について話しだすときには、その人はなにかの興味をその本に持っているはずで、話をひき出すことはそうむずかしいことではありません。少しきいていれば著者の名前がわかり、そもそもその本が、いったいなんについて書かれているのかも、およその見当がついてくるでしょう。話が進むにつれて適当な相槌を入れれば、いよいよ話ははずんでくる。相の手は、できれば多少懐疑的な、または軽い程度の反対であったほうが、なお効果的でしょう。「さあ、それはどうかしら」とか、「そうばかりもいえないと思うけど」とか――もちろん、読んだことのない本についで、はっきりした意見を述べることはできません。しかし、相手方がなにかをしゃべっている以上、漠然として懐疑的な、「そうばかりでもないと思うけど」、いったいどうなのかよくわからない程度の、反対とも質問ともつかぬものを提出することは、つねに容易です。すべての話し手は、そういう相の手に対して、自分の説明が足りなかったと思うか、自分の意見を支える証拠が不十分であったと思うか、どちらかです。いずれにしても、いよいよ多くの根拠をあげ、いよいよ雄弁にならざるを得ないでしょう。そうなればしめたもので、こちらが読んでいない本の内容は、その場ではっきりしてきます。こちらがなにか意味のある発言をするのは、それからでもおそくはありません。

こういう戦法は、若い美しい女性にとっては、なによりも容易でしょう。しゃべるようにしむけられて、しゃべらないほど無口な男がそうあるものではない。新進気鋭の課長にとっては、それほど容易ではないかもしれませんが、それでも工夫しだいで、たいていのところまではらちがあくだろうと思います。要するに、話があるところまで進んでくれれば、読まなかった本の内容が手にとるごとくわかります。どんなくわしい書評を読むよりも委《い》曲《きょく》に通じるということになりましょう。そのうえで、あまり漠然とした反対や、あまり一般的な賛成ではなく、いくらか意見らしいものを大急ぎでつくりあげる。見かけは、あなたが「知的」な女性であり、勉強している課長だということになります。実質的には、話のはじまったときには、「知的」でも勉強してもいなかったかもしれませんが、話の終わったときには、ほんとうにいくらか「知的」になり、いくらか勉強したということになるでしょう。なにもうしろめたいことはない。そのくらいの工夫がなければ、世の荒波を、いや、出版ジャーナリズムの荒波を、乗りこえることはできないというべきでしょう。

〝読んだふり〟は大切なこと

とにかく読まない本を読んだふりをする、よくわかりもしない本をわかったふうに語る、——これが知的「スノビズム」(俗物根性)というもののあらわれである。北米大陸のある国の、ある山紫水明《さんしすいめい》の地に、ある大学がありました。いや、大学はいまも現にあるわけですが、山紫水明の地は、大都会からは遠いのがふつうです。そこでは、大学の教師とその細君たちが、都会の歓楽を求むべくもないために、また、ほかにおもしろい話し相手もないために、お互いに訪問しては夜をすごしていました。教師の年齢はまちまちだった、といってもまさか「ティーンエイジ」の人がいるはずはありません。およそ三十歳以上ですから、相会して夜をすごすといっても、要するに会食または会飲し、あとはただしゃべっているだけということになります。踊ったり、騒いだり、麻雀をしたりということはしない、もっぱら思想の交換をたのしむ。同僚についての思想、学校行政についての思想、食べ物についての思想など。そこで、だれかがこういう本を読んだという話も当然でてきます。しかし「その本は読んだことがない、いったいなんですか」とは、だれもめったにいいません。もちろん、だれも実際に読んだことがあるわけではない。だいいち大学の教師は多かれ少なかれ専門家ですから、その専門以外のことはあまり知らないのです。また、みなが英語を話すので、話合いが成りたっているとはいうものの、国籍はまちまちで、英・米・加・独・仏・日・中・印・伊・西・露などの本を勝手に読んでいるのですから、他人の読んだ本を、こっちも読んでいる可能性などは百に一つもないはずです。それでも談論《だんろん》風発《ふうはつ》する。それはひとえに、読まなかった本を読まなかったといわぬ「スノビズム」があり、見たことも聞いたこともない本について、一晩中話す技術が一座の人びとの心得だからでしょう。

私の友人のいたずらな男は、そこであるとき、絶対にだれも読んだことのない本の名前や、絶対にだれも知っているはずのない学問の名前、——つまり実際には存在しない本の題と、ありもしない学問の名前を考えだして、それをそういう社交的集まりのなかでしゃべってみました。彼は集まっている大学教授たちが、「それはいったいどういう本か」「その聞いたこともない学問はなにを研究するのか」と言いだすまでの時間を記録しました。

いたずらな私の友人は、それを「スノビズム」係数と名づけた。その質問までの時間が長ければ長いほど、「スノビズム」係数は大きくなるのです。

私はこのような「スノビズム」を非難しているのではありません。それどころか、およそ文化の向上に「スノビズム」ほど大切なものはないと言おうとしているのです。知的「スノビズム」は、「どうせ私はばかですよ」という「ドーセバカイズム」の反対のものです。「スノビズム」からはなにも生まれない、――というのは、まさにそのとおりに違いありません。しかし文化的価値を認めなければ、「スノビズム」さえも成りたたないので、これは少なくとも「ドーセバカイズム」のように破壊的でないでしょう。たとえばアメリカに栄えた「マッカーシズム」は、同国の大衆に潜在する「ドーセバカイズム」の政治的な動員にほかなりません。文化活動に「スノビズム」の大切なのは、政治活動に「偽善」が必要のようなものです。聖人は善を行ないます。悪魔は悪を行ないます。どちらも言行一致、たてまえと実際とがよく合っています。そこで聖人の政治か、悪魔の政治か、というふうにものを考えるのは危険きわまりないことで、聖人の政治は行ないがたいという事実のある以上、政治はどうせ悪魔の仕事だという結論に飛躍しがちでしょう。「条約は一枚の紙にすぎない」「力のほかに相手を説得する言葉はない」「大切なのはたてまえではなくて、実行である」ということになります。これがヒトラー（一八八九―一九四五）です。堯・舜（中国古代の聖天子）でなければヒトラー、ではこまる。堯・舜でもなくヒトラーでもなく、たてまえをいちおう尊ぶが、実行はかならずしもたてまえどおりにゆかない、「言行不一致」「偽善」「不実なアルビオン（イギリスの古名）」――これが現実の政治に望み得る最上のものではないでしょうか。読書もまた政治に似ています。「ドーセバカイズム」と博覧強記主義《はくらんきょうき》のあいだに、本を読まざる工夫あり、読まなくても読んだふりをする工夫があってしかるべきでしょう。「どうせ私はばかですよ」と言っていたのでは、いつになっても私はばかでなくならない。読まない本を読んだふりをしているうちに、ほんとうに読む機会も増えてくるのです。

6 外国語の本を読む「解読術」

だれにでもわかる原則がある

外国語の本をどう読むか、という問題は、外国語をまったく知らない人には起こらないでしょう。どういう本を読むこともできないからです。また、外国語を日本語の半分ぐらいよく知っている人にも、ほとんど問題はありません。どんな本でも読むことができるからです。しかし、一つか二つの外国語をかなりよく知っているけれども、外国語の本を読むことに困難を感じている人たちには、どうしたらそういう困難を克服できるかという問題が起こるでしょう。また、どういう本ならば読むことができるだろう、また、どういう本ならば読むことができないだろうか、外国語の本を読むには時間が長くかかりすぎるけれども、どうしたら時間を短くすることができるだろうか——これは、いまでも日本の読者層の大多数の人びとが感じていることではないかと思います。中学校、高等学校の教育に外国語教育が普及しているので、外国語でなにか読んだ経験のない人は少ないでしょう。しかし、必要に応じて読み、言葉の障害をほとんど感じないという人もまた少ないでしょう。その中間の大部分の人びとが、限られた外国語の知識で、本を読むことをあきらめてしまわずに、なにかを実際に読もうとすれば、どういう工夫をすることができるでしょうか。そこで大切なことは、おそらく二つあると思います。それはどちらも、学校の外国語教育が、ほとんど無視していることのようです。

わずかな外国語の知識でも本は読める

第一、必要は発明の母であるという原則。道楽に本を読むには、不十分な程度の外国語の知識でも、必要な本を読むには十分だろうということ。別な言葉でいえば、言葉の知識が不十分ならば、その人にとってどちらでもよい内容の本からはじめるよりも、どうしてもその内容を知りたい本からはじめたほうがよいということになります。

たとえば私自身は旧制高等学校で、はなはだ不十分にドイツ語を習って、東京帝国大学の医学部にはいりました。そのころの医学部の教科書の一部はドイツ語だったので、とにかくその内容を読みとって覚えなければ、卒業できませんでした。外国語の本を読むのが、好きも、嫌いも、便も、不便もない――事実、外国語で、見たことも聞いたこともない内容を覚えるのは、不便このうえもなかったのですが――、必要やむをえずにドイツ語を読むようになりました。また私はそのころ仏文学科にもたくさんの友人をもっていました。

友人の福永武彦(一九一八―七九)や中村真一郎(一九一八―九七)や三宅徳嘉《のりよし》(一九一七―)や森有《あり》正《まさ》(一九一一―七六)という人たちは、みんな自由自在にフランス語の本を読んでいて、森さんにいたっては、私がドイツ語を読むような速さで中世ラテン語を読んでいたようです。この人たちとつきあうのに、現代ヨーロッパ語の一つや二つが気軽に読めなくては、まるで話の調子が合わないようなぐあいでした。しかも私たちの先生は渡辺一夫先生で、そのころから文芸復興期の仏文学を研究しておられ、その研究に疲れてから夜おそく、新刊の小説・戯曲の類を一冊お読みになってやすまれるという話でした。渡辺先生は、こちらが真っ昼間おおいに勉強するつもりで何日もかかって読む本を、疲れたときの気晴らしに数時間でお読みになって、「現代文学のことはよく知らないけれども、昨晩コクトオの芝居を読んだら……」などと話される。私はおおいにおどろき、フランス文学というものは、よほど気軽に読めるようでなくては、話にもならないと考えました。

それでフランス文学の本を、わかってもわからなくても、はやく読むことにしたようです。そうするとまた三宅君のような人が、そばで私の話をきいていて、「それ、少し違うんじゃないかな、どうもいけねえ」などという。ことフランス語に関するかぎり、三宅君が違うといえばたしかに違うので、残念ながら抗弁の余地はまずありません。こちらは話をぴたりと止めて、三宅君にずさんな読み方のまちがいを正してもらうということになります。そういうわけで、私はフランス語の本を読むことを覚えた、——のではないとしても、少なくも覚えたと思いはじめるようになりました。

そういうことは、私がフランスで暮らすようになる前の話です。フランスで暮らせば、フランス語を読む必要があることは、申すまでもありません。また、その後、私にはドイツ語や英語をどうしても話さなければならない個人的な必要が生じたので、ドイツ語や英語を話すようになったのと、同じことでしょう。一つの言葉を読むことと、話すこととは、それほど違った二つのことではありません。ものをいっさい読まずに話せることはしれたものです。日本語を読めない外国人の「日常会話」なるものが、じつは買物程度を出ないという例にもみられるとおりでしょう。私たち日本人は「日常」買物にだけ日本語を使っているわけではありません。また逆に英語を話さない人が、英語をはやく正確にわかることはむずかしいでしょう。私は英独語を話すようになると同時に、かなりはやく読めるようにもなりました。これはいわば偶然の結果で、私にその必要が生じたからです。しかし英独仏語を話す必要が生じる前に、つまり私が日本のなかで暮らして、ほとんど一人の外国人とも接触をもたなかったときに、どうしても、その内容を知らなければならない必要はあったので、なんとか外国語の本を読みこなせるようになりました。私は外国語を覚えようとしていたのではなく、その外国語で書かれた本の内容をどうしても知ろうとしていたのです。

ところが学校で使われていた外国語教科書をみると、その内容が日本語で書かれた各種の教科書の内容よりも幼稚でつまらないものが多いようです。常識で考えても、言葉の困難がなくて、はやく読むことのできる日本語の教科書におもしろい内容があり、長い時間をかけなければ読めない外国語教科書に、つまらない内容しかないとすれば、どうして学生諸君の大部分が外国語教科書を読むことに興味を感じるでしょうか。学生が教科書を読むのは試験があるからです。しかし、教科書の内容が、日本語で書かれた教科書の内容よりも、もっと学生諸君の興味をひくとすれば、試験をしなくても外国語の授業ができるかもしれません。ここでおもしろい内容というのは、かならずしも、たとえば性的な好奇心を刺激するというようなことではない。もちろん知的な内容がおもしろい、ということもおおいにあり得るわけです。たとえば、英語の教科書から、比較的やさしい恋愛小説のサワリを紹介し、過激な社会思想の宣言を除外するというようなことは、まったく不合理なやり方ではないかと思います。いつの時代、どこの社会でも、若い学生にとって、恋愛や過激な思想が、強い興味の対象でなかったことはないでしょう。教科書はしばらくおき、どうしても読みたい内容がなければ、まず外国語の本は読めないものと考えたほうがよろしい。しかし、どうしても読みたい内容があれば、それが春本《しゅんぼん》であろうと、核兵器反対の政治論文であろうと、高等学校の卒業程度の知識で読めないはずはないのです。

表現のやさしさと内容の関係

第二の原則は、いうまでもないことですが、やさしければやさしいほどよいという原則。言葉の知識に限りがあるのですから、表現のむずかしい本を読もうとしても労力がたいへんで、時間もおそらくかかりすぎるでしょう。やさしい本を選ぶことは、大切な条件です。しかし、表現がやさしいということと、内容が幼稚だということとは、まったく関係がないとはいえませんが、ある水準以上ではほとんど関係がないのです。その水準以下では、どんな外国語の知識も使いものになりません。子どものための童話は、もちろんやさしい。しかし、それが読めても読めなくても、あたりまえの知能のおとなの生活には、なんの関係もないでしょう。しかし、おとなのために書かれているかぎり、ある一人の青年にとっておもしろい本とおもしろくない本、読みたい本と読みたくない本とは、その本が語学的にむずかしいか、やさしいかとは、関係のないことです。読みたい内容の本のなかで表現のやさしい本を選ぶことは、たいていの場合にできる。いや、むしろ、多くの読者にとっては、読みたい本の大部分は、教科書や入学試験問題に現われる文章よりは、はるかにやさしい文章から成り立っているでしょう。

教科書だけでは、外国語に強くなれない

その人の専門によって、外国語で読まなければならない書類は、事務用の手紙であり、商品目録であり、市場調査の報告書でしょう。また、雑誌に現われる特定の論文や、専門書であり、学者や技術者の場合には、抄録雑誌や、大きな辞書や、専門的な知識の百科事典的大成であるかもしれません。そういう本や印刷物の大部分は、ことに英語国では、比較的簡単でわかりやすい文章で書かれています。また使われている語彙《ごい》も、それぞれの専門的な用語を覚えれば、それほど多いものではありません。日本の大部分の医者は、外国語の医書を読むことができます。それは、医者がとくに外国語に「強い」からではなくて、外国語の雑誌や論文を必要としているからです。そのへんの事情を察するためには、丸善のような大きな洋書輸入店へいって、そこの棚にならんでいる本を一通りながめてみるだ

けで十分でしょう。その大部分は、専門的な技術や情報に関するもので、文学書は全体の小さな部分にすぎません。本屋の棚にならんでいる本がみんな読まれているわけでないにしても、日本の社会が現実に必要としている、いわゆる「洋書」なるものが、どういう内容のものであるかを、およそ察することができます。それは文学書ではありません。しかし、語学的には、文学書のほうが、大部分の専門書よりはるかにむずかしいのです。「外国語教育」すなわち「その国の文学を教材とする教育」という考え方は、語学教師の大部分が大学の文学部出身であるということに基づいているので、社会の実情に即したものではありません。学校では、比較的不必要で、むずかしい文学からはじめます。それで、外国語の本を読むことができないと思っている人は、自分でその逆をやってみるのが賢明なやり方でしょう。その人にとって不必要で、むずかしい一九世紀のイギリスの小説ではなく、必要でやさしい、たとえば、建築の構造力学の新刊書を読んでみることです。最初の本には時間がかかるかもしれません。しかし、学校で一九世紀イギリスの小説を前にしたときほど、日暮れて道遠しの感を持つことはないでしょう。二冊目は一冊目より楽になります。三冊目はもはや、ほとんど言葉の困難を感じないで楽に読むことができるでしょう。

新聞・雑誌と小説は、どちらがむずかしいか

しかし、一般読者にとってはどうでしょうか。特殊な専門家が、その専門の文献を読むということでなく、その人がもう少し専門からはなれて、日本語ばかりでなく、外国語を通じての一般的な知識を得たいという場合には、どういうものがその読書の対象になり得るでしょうか。おそらく、外国語を通じてどうしても知りたいと思うことは、日本語を通じては十分知り得ないことでしかないでしょう。たとえば第一に、翻訳の追いつかないジャーナリズムの記事や論文、また第二に、翻訳の困難な本、または翻訳の忘れられている大切な本です。

ジャーナリズムの記事は、はやいことがその機能の大切な一部分です。たとえば、アメリカが遠い国に軍隊を送ります。どういうわけで兵隊を送ったかというアメリカ政府の意見が、すぐ日本の新聞に出るでしょう。おそらく、日本の政府がそれにたいして、「まったくそのとおり、けっこうなことである」というでしょう。それも日本語の雑誌・新聞でわかる。しかし、アメリカの出兵に関して、アジア諸国や西欧、アフリカの諸国がどういうふうに反応し、どういう意見を持っているかということは、かならずしも日本語のジャーナリズムを通じてははっきりしないかもしれません。もちろんそれが、たとえばイギリス

のジャーナリズムで手にとるごとくわかるとはかぎらない。しかし、日本のそとで起こっている出来事については、ある種の英語の新聞や雑誌がゆきとどいた情報を提供していることもあるでしょう。もし私たちが世の中のことをひろく知りたいと思えば、外国語の新聞・雑誌を読む必要は少なくありません。そして、そういうものを読むことは、語学的に困難なことではないのです。とにかく大部分の文学作品を読むよりも、はるかにやさしいことです。

翻訳のむずかしい詩人の判別法

しかし、急を要し、翻訳がとうてい間に合わないジャーナリズムの情報や記事、社説や論文のほかにも、日本語ではほとんど読むことのできないものがたくさんあります。その一つは、だれにも必要なものではないかもしれませんが、先にも触れた哲学書でしょう。そもそも少し英語ができれば、バートランド・ラッセル(一八七二―一九七〇)を英語で読むほうが、日本人の私たちでさえも、西田幾多郎を日本語で読むよりもはるかに容易に理解することができるのではないかと思われます。また、ハイデッガー(ドイツの哲学者、一八八九―一九七六)のように、ほとんど翻訳が不可能なものもあります。もっとも、これはよほど特殊な場合であって、そういう西洋の哲学書をぜひ読みたいと思う人は、どうせ例外的な少数にすぎないでしょう。しかし、相手が詩人ということになれば、興味を持っている人の数がもっと多いに違いありません。現に東京には、「ボードレエル」「ランボウ」「リルケ」などという喫茶店さえもあるのです。同じ外国の詩人のなかでも、東京の喫茶店にその名が冠せられているような詩人は、ことに翻訳のむずかしい人たちだろうと思われます。

「西洋人に芭蕉がわかるだろうか」と、たくさんの日本人が私にいいました。芭蕉は翻訳ではわかりにくい。それならば、ボードレエル、ランボウ、リルケも翻訳ではわかりにくいのではないでしょうか。第一次大戦後の新感覚派以来、西洋の詩を翻訳で読んだということが、現代日本の詩の大混乱の一つの原因になっているのではないかと疑われるふしさえあります。T・S・エリオットの『荒地《あれち》』の翻訳は、日本の詩壇を刺激したに違いありません。しかし、それ以上に詩というものについての誤解の種をまきちらしたろうと想像されます。『荒地』の訳のかわりに芭蕉の『猿蓑《さるみの》』がもっと読まれていたら、意味さえ同じならば、詩人がどんな言葉を使ってもよいと考える人は増えなかったでしょう。しかし外国の詩の場合に翻訳することができるのは、意味だけです。翻訳そのものが原作から独立に詩的な言葉の構造を備えている例外的な場合を除いて、一般に外国文学は詩よりも散文、散文のなかでも小説が、翻訳でたのしむのに適しているでしょう。故アルベール・カミュ(一九一三―六〇)氏は、あるときガリマール書店の彼の部屋でこういいました。「私は小説を書きつづけるつもりだ。もし小説を書かなかったら、私が日本でこれほど読まれることもなかったろう。小説は文学のあらゆる形式のなかで唯一の国際的な形式である」と。私は、彼が正しかったと、いまでも思っています。要するに小説以外の外国文学に興味があれば、外国語で読まざるを得ないということになるでしょう。

外国語を学ぶのにいちばんよい本

また、こちらが知っている一つの外国語を通じて、他の外国の作品を読むことが、必要な場合もあります。日本語訳があっても外国の現代語訳のほうが便利な場合、または日本語訳がまったくない場合です。前者の例は、たとえば、ギリシャ、ローマの古典文学は、日本語訳よりもヨーロッパ現代語訳で読んだほうが好都合だというような場合です。原語に近い言葉への翻訳のほうが、原作の調子を想像するのに便利なはずでしょう。それにはまた、もう少し簡単な理由、たとえば、安く簡単にたくさんの翻訳を手に入れることができるというようなこともあります。第二の例は、もう少し絶対的なもので、もし私たちがアラビア、ペルシャの文学、それからインド文学など、中国を除くアジア、中近東、アフリカの文学を読みたいと思えば、これには日本語の翻訳がほとんどないので、どうしても、みずからそれらの言葉を自由自在に読めないかぎりは――そういうことはもちろん専門家以外には不可能ですが――、現代ヨーロッパ語への翻訳に頼るほかはないのです。

このように、専門家には専門家の必要があり、一般読者には一般読者の必要があって、どうしても外国語の文献や本を読みたいということがあります。必要のない人は外国語の本を読まないほうがよい。日本のような高い文明国には、むかしもいまも、数かぎりないよい本が日本語であります。しかし、それでも外国語の本を必要とする人は、一番必要なものからはじめるのがよろしい。外国語を習うのに一番好都合な教科書は、私たちが一番必要としている本以外にないと思います。

英語が短時間で上達する法

語学的に見て、やさしければやさしいほどよいという原則は、たとえばフランス語やドイツ語でよりも、英語でたいへん大切だと思われます。フランス語やドイツ語の場合には、一流の日刊新聞をかなり自由に読める人が読めないようなむずかしい本は、語学的な意味ではほとんどないといってよいくらいです。ところが英語の場合には、一流の新聞をかなり自由に読める人でも、ほとんどまったく歯が立たないほどむずかしい本があります。いや、むしろ逆に、英語の場合には、新聞・雑誌・専門書に使われている言葉が、独仏語の場合よりも簡単でわかりやすいといったほうがよいでしょう。こういう比較は感じの問題で、学問的にたしかめたことではありませんが、少なくとも私には、かなり大きな違いがそこに認められるように思います。そこで、英語――この言葉があらゆる外国語のなかで日本では一番よく知られているということも含めて――を例にとれば、語学的に一番やさしいのは、およそ学問・技術に関する専門的な本の大部分だろうと思います。自然科学についても、経済学についても、また社会学的な研究についても同じことがいえるでしょう。もちろん、例外はあります。しかし、全体の傾向として専門用語以外の語彙の数はかぎられているし、文章の構造も簡単な場合が多いのです。その次にやさしいのが新聞の論説や情報記事ということになりましょう。文章の構造が簡単です。語彙の範囲は、もちろん専門書の場合よりはひろくなります。しかし、ことさらに珍しい単語を使うようなことはない。まず「日常会話」の範囲の語彙で新聞ができあがっているとみてよいでしょう。逆にいえば、新聞に用いられる語彙を覚えれば、まず日常会話に不便しないということにもなります。その次は文学、最後に文学のなかでも詩が一番むずかしいのではないでしょうか。文学には個性的な文体がある。言い回しが凝っていて、同じことをいうのに、めったに使わぬ単語を用いるというようなことがあります。それが散文の場合で、韻文の場合には、よほどその言葉に熟していなければ、一通りの意味さえ察しかねる場合が少なくないようです。

いずれにしても、英語の場合に、文学を読むために必要な知識と、文学以外のものを読むために必要な知識とのあいだには、大きなへだたりがあるように思われます。もし、言葉を覚えることにあまり長い時間をかけることができなければ、また、ことに読者が英語国で暮らしているのではなく、日本語の環境のなかで暮らしているとすれば、いきなり目標を英語の文学におくよりも、たいていの場合には、もっと必要な、そして、ほとんどつねに、はるかに容易な、そのほかの英語の本を読むことに目標をおいたほうが、はるかに合理的であり、時間を浪費しないで目的を達することができるでしょう。

外国小説のうまい読み方

必要は発明の母という原則と、外国語の本はやさしければやさしいほどいいという原則は、矛盾するどころか、ほとんどつねに一致するのです。たとえば、核兵器の禁止が日本国民の悲願であるとして、核兵器反対のバートランド・ラッセルの議論は、ヴィクトリア朝の家庭悲劇の微に入り細を穿《うが》った小説よりも、日本国民の大部分にとっては、より必要な内容であるはずでしょう。そして、ラッセル卿の政治的な論文は、ヴィクトリア朝小説よりも語学的にははるかに容易です。また、たとえば、スエズ戦争のときにイギリスの世論を二分した『タイムズ』(ロンドン)と『ガーディアン』(マンチェスター)の社説は、いずれも、性と殺人を売りものにした駅売り小説より、けっして語学的にむずかしいわけではありません。

しかし、娯楽、教養、人格の修養、趣味の発展のための読書はどうでしょうか。私ならば、第一に、そういう目的のための読書は日本の著者と日本の本ですませたいと思います。それでものたりないところは、外国の小説でおぎなうとして、偉大な小説の大部分にはよい翻訳があるから、それを利用します。シェークスピア(一五六四―一六一六)は翻訳で見てもおもしろい。それと同じように、一九世紀から今日にかけて、西洋の大小説家は、トルストイ(一八二八―一九一〇)も、ドストエフスキイも、バルザック(一七九九―一八五〇)も、スタンダールも、またプルーストや、トーマス・マン(一八七五―一九五五)やフォークナー(一八九七―一九六二)でさえも、翻訳で読んでおもしろいはずだと思います。

前にも言ったように、文学の専門家でなければ、そういうものをそれぞれの原語で読んでたのしみとすることができるほど、外国語に熟する時間をもたないのがふつうでしょう。もちろん、外国で暮らしている人の場合には話が別です。しかし、そういうことはめったにありません。外国で暮らしている人の場合には話が別です。しかし、そういうことはめったにありません。それならば、外国の二流の小説家を読むというたのしみを捨てても、いっこうにさしつかえがない。二流の小説家は、一流の小説家の場合よりも、翻訳がむずかしいのがふつうです。たとえば、私は英語でフォースター(イギリスの小説家、一八七九―一九七〇)を読むのが好きですが、もし、それを日本語訳で読んだら、好きであるかどうか、たしかでありません。これは、単に語学的な問題ではなくて、ものの考え方に、歴史的・社会的な背景があり、万事が風俗習慣と密接にからんでいるということです。多少ともイギリスの知的社会を知らない人たちが、フランス人にしても、ロシア人にしても、また日本人にしても、フォースターをたのしまなければならないという義理はまったくないでしょう。私は朝吹登水子さんのフランソワーズ・サガン(一九三五―)の小説の訳をたのしく読みました。しかし、それは特別の場合で、訳者と原著者とのあいだに感受性のうえでの一種微妙なつながりがあるからでしょう。そういう特殊な場合には、翻訳を通じて、敏感な日本の読者が評価できないどんな小説もないといってよいのかもしれません。

日本語と外国語の違い

要するに原則としては、必要な本はやさしい本である。その必要でやさしい本を読んで利用することに力を注ぎ、たのしみのための読書、ことに文学の読書は、日本文学で満足する。それを外国文学でおぎなう場合には、主としてえらい小説家の日本語訳を読んですませる――これが多くの人びとにとって、外国語の本に対する一番合理的な態度ではないかと思います。しかし、それならば、相当むずかしい外国語の文章をていねいに読むことが、それ自身役に立たないものであるかどうか。私は、もし、そういうことを好んでする人があり、そのために十分な時間をさくことができるとすれば、それもまた、かならずしもむだな道楽にはならないだろうと考えます。

その理由は、市場調査の報告書や機械工学の技術書を読んで仕事に役立てるという場合とは違って、外国語の言葉の構造そのものと読者が、いわば向きあうことになるからです。

さて、日本語の構造と外国語の構造とは違っていて、もし、その外国語がヨーロッパ語であれば、その違いは、ヨーロッパ文化のなかに長いあいだ生きてきたものの考え方と、日本文化のなかに長いあいだ生きてきたものの考え方との違いをそのまま反映しています。たとえば、西洋語の構造は、まず主文章を示し、主文章のなかの部分を、関係代名詞を使いながら、あとへゆくほど綿密に分析的に述べてゆくという形をとっています。「私は出かけた」ということがまずあり、その次に、それが「きのう」であって、目的地が「映画館」であったということが説明され、さらに、その映画館がどこにあったか、そこではどういう映画が上映されていたかというような詳細が続きます。同じことを日本語の文章でいう場合には、その構造が逆になって、まず、映画の名前から出発し、地名があり、それが映画館にかかり、その映画館のところまで読んだのでは、そこへきのう私が行ったのか、行かなかったのかわからず、文章の最後まで読んだときにやっと全体の意味がわかります。「私が行った、映画館へ」という文章は、それをどこかで切って、それぞれその区切ったところまでの意味を持っています。ところが「映画館へ私がいった」という文章では、「映画館へ」までのところに独立の意味がありません。なぜならば、話し手と映画館との関係がまったくわからないかぎり、どんな映画館にも意味がありえないからです。一方は、全体的な構造の枠から出発して部分におよびます。他方は、部分から出発して全体的な枠に到達しようとします。文章が完結したときには同じであるとしても、その途中の過程はまったく方向が違っているといってよいでしょう。

外国語を読めば、ものの見方が変わる

ところが、ものを考えるということは、それ自身が過程であって、完全に空間化されて、完結した世界ではありません。だから、本を読むことと絵を見ることとは違います。絵を何時間見ていても、その各瞬間に、私は絵の全体と相対しています。本は何度繰り返して読んでみても、ある瞬間には全体の評価のある部分に接しているので、けっして同時にその全体と相対することはありません。そういう考えの進む過程は一つの文章のなかにもあり、一つの文章から他の文章への動きのなかにもあります。また、第一章から最後の章への経過のなかにもあります。その過程が違うということは、したがって、ものの考え方が違うということにもなるでしょう。私たちは、複雑な考えを言葉なしに追うことはできません。数学的な思考が数学的記号を抜きにしては組みたてられないように、人間の考えは、日本語とか英語とかいう言葉の記号の体系を使わずにはあり得ないものです。その記号の体系が違えば考えもまた違う。西洋語の文章の構造と相対するということは、したがって、

日本語と違う西洋語の構造にあらわれている西洋式思考の過程と相対するということです。おそらく、そういう経験から利益をひき出すことのできる人は、大きな利益をひき出すことができましょう。簡単にいえば、部分から全体へという過程に加えて、全体から部分へというものの考え方もできるようになるかもしれません。それは思考力、ものを考える力の進歩です。いわば、一次元的な線の上の運動を、二次元的な平面の運動に拡張するようなもので、それは、ほとんどその人の世界を変えるものであるといってさしつかえないでしょう。そういうことは、単に便不便の問題ではなく、また、そう簡単にできることでもないと思いますが、今後、日本の国がしだいに鎖国心理から抜け出して、世界のなかで自分を主張してゆくためには、そういうことも、じつは専門技術の吸収ということ以上に必要なことになるのかもしれません。

役に立たない「日本対西洋」の発想

観光旅行の通訳という程度の簡単なことではなく、もう少し複雑な通訳をしたことのある人は、だれでも、日本側の議論に翻訳の容易にできるものと、容易に翻訳できないものがあるといいますが、その違いはおそらく議論の形、ものの考え方の方向にかかわっているのでしょう。絶えず部分から出発するのか、場合によっては全体から部分をとらえ直すこともあるのか。これは単に言葉の問題ではなく、その背景にあるものの考え方そのものの問題です。「東洋と西洋」というような大上段の議論をここに持ちだしたり、また「日本対西洋」というような国民的感情の問題に、この問題をすり変えてみたりすることは、なんの役にも立たないことだろうと私は思います。問題はそういうことではなくて、もし東洋ふうと西洋ふうの考え方の違いがあるとすれば、どちらの考え方が第三者を含めての「世界」によく通じるか、つまり、普遍的な合理的な構造を持っているかということでしょう。考え方というものは、東洋的だからよく、西洋的だから悪い、あるいは逆に、西洋的だからよく、東洋的だから悪い、ということはけっしてありません。考え方のよしあしは、その考えがどれほど人間に、または少なくとも時代に普遍的であるか、ということによってしか決まらないのです。

むかし、明治初年に、伝統的漢方医学と、いわゆる西洋医学との優劣について大きな論争が起こったときに、森鷗外は「医学に東洋も西洋もない、じつはただ一つの医学があるだけだ」といいました。その後の日本の医学はそういうことを前提として進んできたし、そういうことを前提として進んできたから、今日の水準にいたったのです。そこで、もう一度言葉の問題にもどっていえば、外国語を外国語そのもののために勉強することにも、言葉の構造がものの考え方を制約し、ものの考え方が言葉の構造を制約する以上、大きな意味があるといわなければなりますまい。そういう目的のためにも、むずかしい本をとる必要はありません。読む本の文章はやさしければやさしいほどよく、単純であればあるほどよいでしょう。ただ、明晰であることだけが必要です。

7

新聞・雑誌を読む「看破術」

雑誌の性格で、利用の仕方も違う

世の中には、雑誌だけを読んで暮らしている人たちがあります。たとえば、研究室の自然科学者たちは、その例であるといっていいでしょう。本を読むことがないわけではありません。しかし、どちらかといえば、読書の大部分は雑誌を中心にしています。自然科学は進歩がはやいので、十年前の本はほとんど役に立たなくなり、それぞれの研究領域で専門雑誌に発表される論文を規則的に読んでゆかなければなりません。また過去の論文でも、そのあまりにも専門的な多くの論文は、とても教科書に採録することができないので、古雑誌をさがして読むほかに、過去に行なわれた業績を知る方法はないのです。自然科学研究室に付属している図書館で、専門雑誌のバック・ナンバーが一番大事な部分になっているのは、そのためです。特定の研究対象について、研究者はそれまでになされた仕事を調べあげる必要がありますが、そういうことは雑誌のバック・ナンバーを利用することによって行なわれます。もちろん、自然科学の領域にも古典的な仕事がないとはいえません。ガリレオ(一五六四—一六四二)がこういうことをしたとか、ニュートン(一六四二—一七二七)がこういうことをしたとか、最初に発表されたそういう論文はあるはずです。しかし、そういう種類の自然科学的な古典を広く読んでいるのは「科学史」の専門家であって、一般の研究者ではありません。科学者は自分の仕事を雑誌に発表し、他人の仕事を雑誌で知る――これが研究者の読書の大筋で、そのほかは、例外的な、あるいは補助的な読書ということになるでしょう。

社会科学者の場合には、しかし、様子が違います。そこにも専門的な雑誌があり、学者は本を書くばかりでなく、研究論文の大部分を雑誌に発表し、また他人の研究論文を雑誌で読む。そのかぎりでは、自然科学者の場合と同じことです。しかし、社会科学的な仕事のなかには古典を必要とするものが多くあります。たとえば、経済学者は、いまでもマルクスやケインズを読み、社会科学者は、デュルケーム（フランスの社会学者、一八五八―一九一七）やマックス・ヴェーバーを読むでしょう。しかし多くの場合には、現在の研究を進めてゆくために、プラトンやアリストテレスまでは必要としません。おおざっぱにいえば、社会科学者は、一方で必要な若干の古典を参照しながら、他方で絶えず専門雑誌を読んでいるということになります。

哲学者や文学者の場合には、その読書の範囲がどうしても、雑誌よりは古典にかたむくのがふつうでしょう。その理由は、いうまでもなく、哲学や文学の領域では古典がいまでも生きているということです。哲学にも、文学にも、歴史的な発展はある。しかし自然科学と同じ意味での進歩はありません。

自然科学の雑誌には、特別な読み方がある

自然科学の場合には、一度確認された事実が、そのとき以来、万人の所有物になります。どうしてその事実が確立されたかということを、あとから来た研究者がたどってみる必要はない。確立された事実をそのまま受けとって、その先の事実を求めることに力をそそげばいいわけです。たとえば、コッホ（一八四三―一九一〇）が、結核という病の原因は人体のなかに侵入した結核菌であるということをたしかめました。その事実は、その後も多くの人によって検証されて、確実な事実として認められています。現在、結核を研究する人は、その原因が結核菌であるという前提に立って、その先の問題を調べ、その過程であきらかに前提と矛盾する事実に出会わないかぎり、もう一度その前提を検証してみる必要はありません。そういうことをするよりも、前提をそのまま認めて、たとえば結核菌による免疫がどういう形で成立するか、人体外および人体内での結核菌の増殖を抑制するにはどうい

う手段を講じればよいか、そのほかコッホの当時には知られていなかった無数の事柄について、研究を進めてゆくために、結核の原因であることをたしかめたコッホの論文を読んでみる必要はない。それが「一度確立された事実は万人の所有になる」ということの意味です。

あなたの〝私〟と、その文章とのつながりに注意が大切です

ところが、哲学や文学の場合には、同じ意味で古典が万人の所有になるということはありません。その仕事が作者の個性に結びつき、作者の個人的な経験とからみあっているからです。シェークスピアの芝居が一度書かれると、それが万人のものとなり、その次の世代の劇作家は、シェークスピアのやったこととの先へ進めばよろしい、というふうに簡単には事がはこばない。シェークスピアがその仕事のなかで到達したものは、けっして完全には、ほかのだれのものにもなりません。そのなかの個性的な部分、作者の個人的な経験に密接に結びついている部分は、別の個性や別の経験を持った人に完全には伝達されないからです。同じことは哲学についてもいえます。デカルトは「人間は考える、ゆえに人間がある」といったのではなく、「私は考える、ゆえに私はある」といったのです。自然科学

の知識は、その「私」には関係していないで、自然にだけ関係しています。自然は、歴史にも、時代の変化にも、文化の違いにも、まったく関係のない法則によって動きます。しかし、哲学者の知識は、その「私」に関係している。その「私」は歴史のなかにあり、時代によって違い、また、二つの違った文化のなかでは必然的に二つの違った「私」であるほかはないでしょう。文学的な、または哲学的な古典が、何度読んでも読みつくせないものであるというのは、そういう古典のなかに一時代と、一文化と、一つの個性に固有の要素があって、古典を読むということは、その時代や文化や個性との、いわば対決を意味するからです。もちろん、文学にも哲学にも、歴史的な発展というものがあります。しかしその発展は、前の時代の仕事が、次の時代の仕事に完全に吸収されるということではなく、一面では次の時代のものの基礎として働きながら、他面ではそれ自身として、そのまま次の時代にも存在しつづけてゆくということです。その意味での発展は、自然科学の進歩とはまったく違います。（科学的な仕事は、それが厳密に科学的であればあるほど、一時代の知識は次の時代の知識のなかに完全に含まれてしまいます。）

文学は進歩するか

たとえば、歌舞伎は、近松から、並木五瓶《なみきごへい》（一七四七—一八〇八）や鶴屋南北《つるやなんぼく》（一七五五—一八二九）を通って、黙阿弥《もくあみ》（一八一六—九三）にいたりました。だから、黙阿弥のなかにそれ以前の歌舞伎のすべてが含まれている、とはいえません。近松がなければ、黙阿弥はなかったでしょう。しかし、近松は黙阿弥のなかにまったく含まれているのではなく、黙阿弥のなかにないものも持っているのです。たとえば、私たちはいまでも近松を見物し、黙阿弥を見物し、また、その後の歌舞伎作者の新作を同時に見物することができます。そういう世界で仕事をしている者にとっては、当然、新作だけを追っているわけにはゆかず、新作のなかに含まれていない近松を絶えず読まなければなりません。文学や哲学の進歩について語ることが危険なのは、そのためです。すべての文学作品、すべての哲学的な思想には、それが歴史的な発展の一局面であるという面と同時に、それ自身で完結し、一つの世界を形づくっている面があるのです。もう一度別の言葉でいえば、二つの文学作品は時間的に前後の関係にあるとともに、また同時的に同じ空間に配列されているといってよいでしょう。だから、哲学者はいまでもプラトンを読む必要があり、朱子学に立ちかえる必要があり、文学者は芭蕉（一六四四—九四）や、近松や、西鶴を読む必要があるということになります。

「文芸雑誌は読む必要がない」という荷風の説

しかし、一人の人間の読書の時間はかぎられているので、古典を読むことが多ければ多いほど、新刊書にさくことのできる時間は少なくなり、古典の必要をするどく感じれば感じるほど、新聞・雑誌からは遠ざからざるを得ないということになりましょう。永井荷風は、それを極端な形でいいました。「もし文学者になろうと思えば、いまの文芸雑誌をいっさい読んではいけない」——私はそうは思いませんが、荷風はただでたらめを言ったわけではないのです。その多くの弟子たちによれば、芭蕉は「蕉風の俳諧は不易《ふえき》と流行を兼ねなければいけない」といったようです。去来(一六五一―一七〇四)はそれを「蕉風の句は不易の句と流行の句とある」というふうに、二つに分けて考えていたようです。しかし、たぶんそれはまちがいで、芭蕉の言いたかったのは、蕉風の一つの句は、本来同時に不易の面と流行の面とを兼ねていなければならないということだったのでしょう。古典というものは現代文学からはなれて別にあるのではなく、もし生きている古典というものがあるとすれば、それはつねに現代文学のなかにあるのであり、また、現代文学は、もし、それがすぐれたものであるとすれば、いつか古典になるものです。そういうことは自然科学にはありません。自然科学には、いわば流行だけがあります。もっと正確にいえば、不易なものは一度確立されると、流行のなかに吸収されてしまいます。

新聞は重要な読書である

たぶん、私は雑誌について、あまりに特殊な立場から論じてきたのではないかと思います。ここまでのところは、雑誌とは専門雑誌のことです。自然科学者が雑誌を読み、社会科学者が雑誌と古典を読み、哲学者と文学者が主として古典を読む、——という場合の雑誌は、いうまでもなく専門雑誌です。一般読者にとっては、どうでしょうか。いや、専門の科学者も文学者も、新聞を読み、一般的な雑誌を読むときには、同時にもちろん一般読者の一人です。ことに新聞はだれでも読むもので、今日の社会で人が活字を読む行為のかなり大きな部分は、新聞を読むということ、雑誌を読むということに使われていると思います。ある人が、フランスの詩人で劇作家のポール・クローデル(一八六八—一九五五)に、「あなたの愛読書はなんであるか」とたずねたところ、クローデルは言下に「聖書と日刊新聞」と答えたそうです。これは、この有名なカトリック詩人の晩年の話で、その答えには彼の自信のほどがよく現われていると思います。芭蕉の言葉でいえば、聖書は不易、新聞は流行を代表するでしょう。もしカトリックふうの言葉を使えば、聖書は「真理」を、新聞は「事実」を代表するといえるかもしれません。またカトリック信者としてのクローデルは、もっとも聖書を必要とし、外交官としてのクローデルは、新聞を通じての毎日の情報をもっとも必要とした、という解釈も成りたつでしょう。いずれにしても、新聞は私たちの読書生活のもっとも重要な部分を占めるものの一つであることにまちがいはありません。

新聞には記憶がない

新聞の性格には三つの大事な特徴があります。その第一は、新聞は事実を選ぶということです。新聞社は、その日に起こったたくさんの出来事を集め、そのすべてを紙面に印刷することはできないので、印刷できるものの何倍もある事実のなかから少数の事実を選びだして、それを新聞にのせるのです。その場合に、なにを選びだすかということは微妙な問題で、どの新聞にも通じるはっきりした標準があるわけではありません。事実の選び方そのものに、新聞の性格の違いが現われてくるでしょう。第二に、新聞は、選びだした事実を印刷するときには「見出し」をつけます。この「見出し」のつけ方にも、すべての新聞に通じる規則も標準もない。したがって、新聞の個性がその「見出し」のつけ方に現われてくるだろうと思われます。第三に、新聞、ことに日刊新聞は、情報をすばやく提供することを任務としているために、そして紙面がかぎられているために、昨日あった出来事を忘れて、あるいは、少なくとも書かないで、今日あった出来事だけを報道します。別の言葉でいうと、新聞の紙面に関するかぎり、そこには記憶というものがありません。その意味で、日刊新聞と歴史の本とは対蹠的なものでしょう。この三つの特徴をもう一度繰り返していえば、事実を選び、その事実に「見出し」をつけ、古い事実を記憶しないということ、――こういうほとんどすべての新聞に共通な性格に対して、読者はどういう態度をとったら、世の中を知るために、またできるだけ公正な判断をその世の中に対してくだすために好都合だろうか、ということになります。新聞が事実を選びだすということ、選びだす事実は新聞によって違うだろうということから、読者にできることの一つは、なるべく違った種類の二つの新聞を同時に読むことです。なにも二つにかぎらず、もっとたくさんの新聞であればなおさらよいでしょうが、そういうことは、金もかかるし、時間もかかるので、一般にたやすく行なえることではありません。少なくとも二つというのはそのためです。

立場が違うと報道も違ってくる

むかし、私はヴィーン市中の有名なホテル・ザッハーに泊まっていました。ある朝、朝食のために一階の食堂に降りて、そこには世界中で発行されているたくさんの新聞がならんでいるので、私は、その一つ一つを手あたりしだいにとりあげながら、コーヒーを飲もうとしました。そのとき、私の目に飛びこんできたのは、ベルリンで最初の大がかりな暴動が起こり、群衆が西側から東側に侵入して、赤旗を引きずりおろしたというような事件の報道でした。朝のホテルの食堂には静かな音楽が流れていて、窓から見える劇場に近い目抜きの通りには、着飾った人たちが往来していました。この平和な風景と、新聞のなかのベルリンの暴動とは、たいへん強い印象になって私を打ちました。そのとき、暴動に参加して赤旗を引きずりおろした西側の群衆の数は、パリで発行されているアメリカの新聞『ヘラルド・トリビューン』西欧版によると、ロンドンで発行されている『タイムズ』の報道による数のほとんど十倍も多いはずでした。いったいどちらがほんとうだったのでしょうか。もちろん、その場の私にはわかりませんでした。とにかく、同じ場所で、同じときに、暴動に参加した人がおよそどのくらいであったかということは、かなり単純な事実の問題です。その事実さえも、二つの新聞で、一対十というほどに違っていることがあり得るのです。そのホテルには、さきにもいったように、たくさんの新聞があったので、私はそれをつぎつぎに読んで、暴動に参加したおよその人数を想像することができましたけれども、もし私がアメリカの新聞の西欧版だけを読んでいたら、私の判断は、そのことについてかなり大きく違っていたでしょう。

また、こういうこともあります。たとえば、一九五〇年代のパリでは、たびたび交通機関のストライキがありました。翌日の新聞を見ると、交通機関がストのためにどれだけ麻痺したかという程度は、共産党の機関紙『ユマニテ』と、保守党系の新聞『フィガロ』と、中立系の『ル・モンド』とでは、たいへん違っていたことが多い。いつでもそうなのですが、その違い方は、『ユマニテ』によれば大部分の交通機関が麻痺し、『フィガロ』によればほとんど影響がなく、『ル・モンド』によれば、まったく影響がなかったわけではないけれども、麻痺の程度はたいしたものではなかった、ということになります。こういうことも、それぞれ傾向の違う二つの新聞を読むことによってはっきりとわかるので、一つの新聞だけを読んでいると、すべての判断を誤るという証拠になるでしょう。また、たとえば東京の町にデモがあれば、パリの交通ストと同じように、そのデモに参加した人の数は、新聞によって違うことが多いでしょう。もし傾向のたいへん違った二つの新聞を読むことができない場合には、新聞に報道された事実を、少しおくれて、週刊誌や雑誌と照らしあわせてみることもできると思います。

アテにならない「見出し」

「見出し」というものは、もちろん読まないわけにはゆきませんけれども、とくに注意して「見出し」だけを読まないように心掛ける必要はありましょう。なぜならば、二つの新聞の違いは、暴動の群衆の人数を違ったふうに報道するということ以上に、まさにその「見出し」のつけ方にあるからです。どちらが適当な「見出し」であるか、それは読者が判断すべきことで、一つの新聞社から与えられたものを鵜呑《うの》みにすべきものではありますまい。たとえば大勢の学生が国会議事堂をとりまいている同じ写真を掲げていても、ある新聞の「見出し」には「議事堂における学生」と出るでしょうし、ある英字新聞には、「国会に迫る暴徒」と出るでしょう。世の中には「学生大衆」というものもないし、また「暴徒」というものもない。実際にあるのは、ただ太郎さんや、花子さんや、次郎さんの何人かの集まりで、その集まりは同時に、学生大衆であり、暴徒であり、日本人であり、愛国者であり、左翼であり、十八歳から二十二歳までの年齢層であり、高等教育機関在籍者であり、その他無限の名前で呼ぶことのできるものでしょう。その無限の名前のなかから一つを選びだすのは、選びだす人の判断に基づくので、太郎さんや花子さんや次郎さんがそこにいたという事実そのものから自然に、客観的に、公平に、中正に、流れ出てくるものではありません。事実からは「見出し」は出てこないで、「見出し」をつくる者の見方から「見出し」が出てくるのです。したがって新聞の「見出し」を読むときには、それをつくった人の立場を考える必要があります。具体的にいえば、なるべく違った立場の二つの新聞の「見出し」を、たえず比較する必要があるということになりましょう。

過去とのつながりを考えて、新聞を読む

新聞の紙面には記憶がありません。しかし、世の中の出来事の意味をたずねようとするときには、どうしても一つ一つの事件を過去と現在のつながりにおいてながめなければなりません。日刊新聞は、ことの性質上、むかしのことを書きませんけれども、読者のほうは、今日書かれていることの意味を考えるために、昨日のことを覚えておく必要がありま す。一番簡単な方法は、必要な事柄については切抜きをつくって、それを整理し、まとめ

ておくことでしょう。もし、そういうことをするだけの時間がなければ、特定の問題についてだけそれを切り抜いて、たとえば、あなたの個人的な日記のページのあいだにはさみこんでおくだけでも、おおいに役に立つでしょう。あとで日記をひるがえしてみれば、そのなかに、たとえば、ある一人の政治家が、戦争の前にはどういうことを約束したか、戦争のあいだにはどういう世界観を持っていたか、戦争のあとで、戦争犯罪の牢屋から出てきたときにはなんと言ったか、そのあとで内閣総理大臣になったときにはどういうことを言ったか——そういうことが、さながら走馬灯のごとく、生涯の最後に一生の出来事がよみがえってくるように、一つのまとまりと意味とをもって、はっきりとわかってくるようになるだろうと思います。

また、たとえば軍縮会議で、ある一つの国がある提案をしたとしましょう。ほかの国がその提案を拒否したという場合に、それ以前に、その国がどういう提案をし、相手の国がどういう提案をしたか、それに対してどの国が譲歩し、どの国が譲歩しなかったかという、その経過の全体を思いだして、きのう起こった会議のやりとりを判断することができるでしょう。個人的な生活なら、いままでさんざんひどい仕打ちをしてきた親のいうことと、いままでたいへん親切にしてくれた隣家の主人のいうことが、たとえ同じであっても、過去の因縁から、私たちは、それぞれの人物のいうことに別の意味を与えるだろうと思います。まったくそれと同じように新聞紙上に現われるほとんどすべての事件は、もし、それを過去からまったく切り離してしまえば、意味を失ってしまうものが多いでしょう。私たちは、事実を新聞によって知ります。しかし、その事実の意味づけを新聞だけによってすることはできません。新聞から与えられる事実を、なんらかの方法で記憶する工夫を編みだすことは、新聞を読みながら、そこで報道されている事実に意味を与えるために、つまり、世の中の出来事に対して自分の意見をつくるために、どうしても必要なことだろうと思います。

外国の新聞を読む

新聞や週刊誌は、よく客観的な報道をするといいます。公平で客観的な報道がその仕事で、特別な立場はないというのが多い。しかし、実際には、すべての人に、人それぞれの立場があるように、新聞にもまた、その立場が、そう言うと言わないとにかかわらず、あると考えなければなりません。新聞にその立場があるとすれば、その新聞を読むときに、それを知っておいたほうが、知らないよりも便利でしょう。それを知ることは、日本の新聞に関するかぎり、そうむずかしいことではありません。また、単に新聞の立場ばかりではなく、その影響力についてもおよその見当を持っていたほうがよい。また実際私たちは、日本の新聞について、およその見当をつけているのです。しかし、外国の新聞が引用されている場合には、その引用を意味づけることはむずかしい。なぜなら、日本にいる私たちは、外国の新聞の立場や、傾向や、影響力の範囲を知ることがたいへん困難だからです。しかし、そういうことを知らずに、その新聞に発表された意見と、その国の世論との関係を、想像することはできないでしょう。

たとえばアメリカの新聞が、その社説で中国の人権問題を論じたとしましょう。そのことだけでは、アメリカの世論が中国の人権問題にどれほど関心をもっているのか、いないのか、まったくわからないわけです。問題の新聞の読者は、アメリカの人口の何分の一に当たるのでしょうか。いや、そういう簡単な数だけの問題ではなく、その新聞を読む読者が、どういう種類の読者であるか、また、歴史的に見て、いままでにその新聞の社説が論じてきたことが、どの程度まで世論を反映し、どの程度の影響を世論に与え、そういうことを通じてアメリカの政策そのものにどういう影響を及ぼしてきたか——そういうことの概略を知らなければ、無数にある新聞のなかの一つが、中国の人権問題を論じたとして、それがアメリカの世論にとってどれだけの意味を持つのか、まったく見当がつかないということになるでしょう。しかし、私たちにとって関心があるのは、その意見がアメリカの世論の動向を反映するかぎりにおいて、また世論に影響を与えるかぎりにおいてですから、そういうことがわからなければ、その記事を読んでも、ほとんど意味がありません。

真実を見抜く法

しかし、もっと手近なところで新聞・雑誌の傾向を知り、その報道の「客観性」を調べてみるために、簡単でだれにも行なえる方法があります。それは、新聞・雑誌のなかであなたがよく知らないことを読むのではなく、もっともよく知っている事柄についての記事を、注意深く読むということです。たとえば、もしあなたにスキャンダルがあるとして、しかも、そのスキャンダルが新聞に出るとすれば、その記事をこそ、もっとも注意して読むべきでしょう。そのことに関するかぎり、あなたほどよく知っている人は少ないはず。記事がどの程度に正確であるか、一目瞭然でしょう。もし、その記事が正しければ、おそらく、別の人のスキャンダルについても、新聞は正しいだろうと想像する理由があります。もし、その記事がまったくでたらめならば、ほかの人のスキャンダルについても、あまり信用しないほうがいい。

しかし、もちろん、だれでもスキャンダルを持っているわけではなく、いわんや、そのスキャンダルが新聞に報道されるわけではありません。たとえば、あなたが街頭に出て、デモに参加したとしましょう。その広場に集まった人数も、あなたにはおよそその見当がついているでしょう。翌日の新聞を買い集められるだけ買い集めて、一度読んでごらんなさい。どの新聞にどういう傾向があるか、これもまた一目瞭然だろうと思います。また、もし、あなたが医者ならば、薬や医学に関する記事が出ていたときに、とくに注意して、すみからすみまで読んでみるのも一つの方法でしょう。その記事が、どの程度の理解に基づいて、どの程度に正確に、どの程度にまじめに書かれているか、医者であるあなたには簡単にわかるでしょう。もし、あなたが弁護士ならば裁判の記事について、俳優ならば芝居の批評について。――もちろん、そういう特殊な記事から、新聞・雑誌の全体の傾向をつねに判断できるとはかぎりません。しかし、そういうことをやらないよりはやってみたほうがいい。少なくとも、一度活字になったことは、かならずほんとうであるだろうという現代的な迷信だけは、打ち破られるでしょう。申すまでもなく、一流新聞の記事は大部分が正確です。ただ、活字を通して事実を求めようという態度で新聞を読むのと、活字であるから事実に違いないという前提で新聞を読むのとでは、読むほうの側の態度に大きな違いがあり、読むことによって得られる影響や、知識の性質や、その結果つくられる意見の質にも違いが出てくるだろうと思います。

日本の雑誌の特徴

国際的に見れば、日本は雑誌の国です。まず第一に総合雑誌というもの——政治・経済・社会・文化の各方面にわたり、一カ月ごとに報道と論争を兼ねて編集したついでに、多少エロチックな小説もつけ加えた月刊雑誌というものは、日本ジャーナリズムの天才的な発明であって、私の知るかぎりでは、これをほかの世界のどこに求めることもできません。こういう日本独特の便利な道具を使わないのは、もったいないくらいなものです。これを利用することによって、たのしみも得られ、読者の知的世界もいっそうに豊富になるはずでしょう。また、何十万という巨大な発行部数を持つ週刊誌が、これほどたくさんある国もおそらく世界中にありません。国民全体が、どこで待たされても——待たされる機会は比較的多いわけですが——、けっして退屈することはないだろうと思われるくらいです。この週刊誌には、いろいろの種類があって、比較検討も容易であり、だれでも同じものを読むのではなく好きなものを選んで読むことができます。その点、大新聞のおたがいに似ている面の多いのと対照的だといっていいでしょう。ある意味では、一方に比較的よく似た日刊新聞があり、他方に変化に富んだ週刊誌があるのは、おたがいに欠をおぎなうという形で、巧妙な仕組みなのかもしれません。

また、婦人雑誌というものも日本には古くからあって、その毎月の厚いページは、ほとんど小型の百科事典のような仕掛けにできあがっています。半年も日本式婦人雑誌をとれば、おそらく家庭婦人が、料理、裁縫、育児、恋愛、結婚、老年、病気の手当て、子どもの教育から映画・演劇の娯楽まで、日常身のまわりに必要とする知識は、すべてこれを取りいれることができるでしょう。こういう雑誌をつくるのには、驚くべき手間がかかり、たいへんな努力がいるので、いままでのところ、日本以外の国でこれほど懇切丁寧な雑誌をつくり出したところは、ほかにはないようです。

このように、日本には、ほかの国にない発達した雑誌ジャーナリズムがあるので、日本人の読書生活のひじょうに大きな部分は、専門雑誌を除いても、一般読者のための定期刊行物にささげられているというのが事実のようです。一度そういう新聞・雑誌を読むと決めれば、それをどう読むかということは、あまり大きな問題にはならない。どう読むかを工夫する余地がないほど、それらの週刊誌・月刊誌は懇切丁寧であり、幼稚園の保母さんの態度にも比すべき読者への親切な配慮が、誌面のすみずみにまでゆきわたっています。

8　むずかしい本を読む「読破術」

わからない本は読まないこと

新しい絵はわからないという人がよくあります。新しい絵というのは抽象絵画のことでしょう。よくわからないというのは、その絵が本来、魚を描いたものか、女を描いたものかわからないという意味でしょう。それならば、新しい絵はわかる必要のないものです。わからないでけっこうといえば、話がいちおう片づきます。また、音楽がわからないという人があります。音楽が本来、魚を表わしているか、女を表わしているかがわからないというのではなく、聴いてもおもしろくないというほどの意味でしょう。その場合にも、話はいちおう、人好き好きということで片づくかもしれません。しかし、本を読むということになると、これはどうしてもわからなければ無意味です。魚のことを言っているのか、女のことを言っているのかわからなくてはどうにもなりません。少なくとも、ある種の美術はわかる必要のないものです。音楽は絵と同じ意味ではなにものも表現していないので、そもそもわかるはずがない。読書だけが絵を見ることや音楽を聴くことと違うのです。すべての本は言葉からできあがっていて、すべての言葉はなにかを意味します。その意味をとらえて、意味相互のあいだの関係を理解することが、本を読む法、つまり本をよくわかることでしょう。読むこととわかることとは切り離せません。

しかし、世の中にはむずかしい本があります。どうすればたくさんの本を読んで、いつもそれをわかることができるようになるでしょうか。その方法は簡単です。しかし、おそらく読書においてもっとも大切なことの一つです。すなわち、自分のわからない本はいっさい読まないということ、そうすれば、絶えず本を読みながら、どの本もよくわかることができます。少しページをめくってみて、あるいは少し読みかけてみて、考えてもわかりそうもない本は読まないことにするのが賢明でしょう。一冊の本がわからないということ、ただそれだけでは、あなたが悪いということにもならず、またその本が悪いということにもならない。これはよく心得ておくべきことで、そのことさえ十分に心得ていれば、無用の努力、無用の虚栄心、または無用の劣等感をはぶき、時間のむだをはぶくことができるでしょう。だれにもわかりにくい本というのがあります。私にはわかりにくいけれども、ほかの人にはわかりやすい本というのがあります。また最後に、だれにもわかりやすい本というのがあるでしょう。

そもそも、だれにもわかりにくい、むずかしい本とは、いったいどんな本でしょうか。

あなたの頭が悪いのではない

第一に、文章そのものの問題があります。徳川時代の国学者香川景樹《かがわかげき》(一七六八―一八四三)は、「文章はただ義理のわかるを基《もと》としはべれば、だれが聞きても少しも悔《く》い惑《まど》わざるが上手《じょうず》なり」(『随処師説《ずいしょしせつ》』)といいました。これを裏返せば、だれが読んでもすぐに意味のはっきりしないような文章はへただということになりましょう。主語がはっきりしない、形容詞がどこまでかかるかわからない。使われている言葉の定義があきらかでない。そういうことが重なって意味のあいまいな文章に長い時間をかけ、あれこれと想像してみることも、時と場合によっては必要でしょうが、一般には、いっそそういう本は、投げ出してしまったほうが経済的である。実際、世にいわゆる「むずかしい本」といわれるもののかなりの部分が、香川景樹のいうじょうずな文章でなく、へたな文章で書かれているのです。これはもちろん著者の責任であって、読者の側で、わからないことに劣等感を感じる理由は少しもありません。そういう文章の不完全な、へたにできあがっている本を捨ててしまえば、世の中にそうたくさんのむずかしい本、わかりにくい本が残ることはないでしょう。人生は短い。たとえ、いくらかそのなかに価値のあるものが含まれているとしても、あまりへたな文章で書かれた本は、いっさい無視してかえりみないというのも、短い人生の短い時間を大切にするために、必要な考え方ではないでしょうか。

それでも、文学以外の本については、たとえば技術的な専門の本については、へたな文章を多少辛抱しなければならない場合もあるでしょう。その本のなかには、ほかで得られない資料があるかもしれません。しかし、少なくとも文学に関するかぎり、そういうことはないといってよろしい。香川景樹流にいえば、文章のじょうずを前提とするはずの文学に、あまりむずかしい本のあるわけがないのです。そういえば、西鶴の文章はどうか、『源氏』の文章はどうか、という人があるかもしれません。それはたしかに今日の私たちにはむずかしい。

しかし、西鶴も、紫式部も、私たちのために書いたのではなく、同じ時代の読者のために書いたのです。その同じ時代の読者たちにとっては、西鶴の『好色五人女』はけっしてむずかしいものではなかったでしょう。『源氏物語』でさえも、そのなかの言葉を日常話し、その世界のなかで暮らし、おそらく登場人物のモデルさえもよく知っていた小さな読者層にとっては、たいしてむずかしいものではなかったろうと想像されます。いまではそれが、私たちにとってむずかしいものになっている。これは本来西鶴や『源氏』の文章がむずかしかったかどうかとは、いちおう別の問題です。英語を学ばずに英語の小説をむずかしいといっても意味をなさないと同じように、平安朝の言葉を学ばずに『源氏物語』をむずかしいといっても、まったく意味をなしません。しかし現代文学の場合には話が違います。私たちのために書かれた文章が私たちにとってあまりむずかしいならば、その文章は文学とはいえないでしょう。読む必要はありません。

書いている本人さえ、わかっていない

「文は人なり」ということがあります。また、もっとはっきりした言葉で、一七世紀のフランスの詩人ボアロオ(一六三六―一七一一)は「よく考えられたことは明瞭に表現される」といいました。文章があいまいなのは、多くの場合に、単なる技術面ばかりではなく、言おうとすることを筆者がよく考えていなかったということ、あるいは文章の内容を、作者自身が十分に理解していなかったということを意味するでしょう。筆者当人さえもよく理解していない内容を、読者がどうして十分に理解することができるでしょうか。

私たちがよく知っている例でも、たとえば、だれにもわかりようのない西洋哲学の翻訳書などがあります。訳者がドイツ語をよく知らないか、哲学的思考に慣れていないか、あ

るいはたぶんその両方で、原文を十分に理解しないままに、日本語に置きかえているという場合が少なくありません。その訳文から原文を想像し、原文の言おうとしたことを推察するのは、あまりにむずかしい、ほとんど不可能に近いことです。そういう場合には、その本を読むことをやめて、もっとよい翻訳をさがしたほうが合理的でしょう。

たとえば仏文学者の平井《ひらい》啓之《ひろゆき》さん（一九二一—一九九二）は、ジャン＝ポール・サルトルを理解するのに、フッサール（ドイツの哲学者、一八五九—一九三八）の現象学を読んでおく必要があると考え、その邦訳を読みだしたが、なんのことかわからない。そこで仏訳を読んでみたら、はじめて氷解したということです。そういう例はいくらでもあるでしょう。正宗白鳥さん（一八七九—一九六二）が、『源氏物語』はウェイリー（イギリスの作家・評論家、一八八九—一九六六）の英訳で読んだほうがおもしろい、といったのは有名な話です。『源氏』の場合は少し話が違うけれども、ドイツの哲学を読むのに、もしドイツ語を自由に読むことができないとすれば、邦訳を読むよりも英訳を読んだほうが、少なくとも時間の経済になることは多いようです。平井さんがフランス語を読むように、あるいは私が英語を読むようには、西洋語を読めない場合には、どうしたらよいでしょうか。なにも心配なことはない。要するに西洋哲学の本を読まないことにすれば、よろしい。ハムレット曰《いわ》く、「どうせ世の中には、哲学でわからぬことがたくさんある」。ドイツ観念論哲学のほかにも、汗牛充棟、本はいくらでもあるのです。

また、たとえば大学新聞に発表される最新式の政治社会理論といったものは、しばしば、私たちの理解を絶していることがあります。耳慣れぬ抽象的な言葉がたくさん出てきて、どこがどこへつづくのかわからない。そこで、大学生の息子をもつ母親が、彼らの世界をよりよく理解したいと考えて、参考のためにそういうものを読むとしましょう。いくら読んでもどういう意味かわからない。おそらく、その婦人は自分の知的能力の限界を感じ、これでは自分の息子の考えていることもわからないだろう、と思うようになるかもしれません。

しかし、ほんとうに、そこで問題なのは、その婦人の知的能力の限界ではなくて、そういう論文を書いた筆者である学生の知的能力の限界です。社会科学のもっともらしい言葉が無数にくり出されてきて、それぞれの言葉の定義があきらかでなく、整理もつかず、つじつまも合わず、なにを言っているのかだれにもわからないというのは、筆者の頭の混乱を示していても、けっして読者の頭の混乱を示しているのではありません。論文を書いている当人によくわかっていないことが、それを読む他人にわかる道理はないでしょう。こういうのはほんの一例にすぎず、あまりよくわかっていないことを書き、したがって、ボアロオの言ったように、文章の明晰でない著者は、なにも翻訳業者にかぎらず、また学生運動の指導者にかぎりません。総合雑誌の気分的には血沸き肉躍る大論文にも、論理的にはあいまいなのが少なくないようです。そういう論文はむずかしい。むずかしい論文ははぶく。その結果、注意して読むものは、ほとんどすべてわかるように読書計画を立てるということは、すべての読者にすすめられる精神的衛生法です。

書き手のあいまいさがわかる法

くわしく読んでみなくても、およそ論文の類を、むずかしそうだから読まずにおいたほうがよかろうと判断することができる。そのためには、いくつかの便法があります。その便法のなかで一番簡単な一つは、およそ字面《じづら》をながめて「かたかな」のあまりに多いのや、また、漢字を長く連ねた部分の多いのは、なるべく避けて読まないようにすることです。だれでも知っているように、「かたかな」は、ふつう外来語を表記するのに使われています。私は、それがはや読み法にとって便利だといいました。しかし、その場合の「かたかな」は、ウイスキーとか、レインコートとかいう、実生活にもながめ、手にも触れ、口にも味わってみることのできるものです。ところが、字面にばらまかれた「かたかな」が、なにやら抽象的な概念を意味しているときには、それがほんとうになにを意味しているのかを決めることは、ほとんどつねに、たいへんむずかしいのです。「アンビヴァレンツな感情」「問題意識のアクチュアリティ」「中村真一郎におけるドゥンケルなもの」など。そういう「かたかな」書きの外国語は、英語であっても、けっしてオックスフォード辞典に説明されている意味では使われず、フランス語であっても、リットレー辞典に説明せられているような意味では使われていません。

それならば、どういう意味で使われているのか。定義があるようでない。どうすればほんとうの意味をつきとめることができるのか、だれにもわかりません。「中村真一郎におけるドゥンケルなもの」とは、ドイツ語の「暗い」という意味の形容詞dunkelのことらしい。このドイツ語形容詞のほうには、たねもしかけもないでしょう。とすれば「暗い」というしごく簡単な形容詞を、わざわざ日本文のなかでドイツ語にした理由もわからないでしょう。読みながら、これは筆者が「ドゥンケル」を「暗い」とは別の意味に使っているらしいと考えないわけにゆきません。しかし、この「ドゥンケル」があたりまえの「暗い」でないとすれば、いったいなんなのか、とてもわからない。ブロックハウス辞典などをもち出しても、とうてい歯がたたないのです。そういうあいまいな概念がたびたび用いられているとすれば、苦労してわかろうとするだけの値うちのある綿密な思考が、そこに展開されている可能性は、あまり多くはないでしょう。読まなくても、おそらく損はしない。

また、漢字がとめどもなくつながり、「絶対矛盾の自己同一」というふうに続いてくると、そのどれがどこで切れるのか、どの言葉がどこにかかるのか、その一つながりのなかでは決めようがありません。もちろん、前後の関係によってわかることもありましょう。しかし、そういう言い方がたびたび現われてくるとすれば、そういう文章を読むことは、ものをはっきりと考えるための障害にはなっても、助けにはならないでしょう。そういうやり方で、ものを綿密に考える訓練を自分に課することができるかどうか。言いたいことそれ自身がむずかしいから、やむを得ず文章もむずかしくなっているというのは、たいていの場合に単なる口実にすぎないようです。

日本語ではありませんが、イギリスの哲学者バートランド・ラッセルは、本来やさしい、単純なことについてだけ書いたのではありません。しかし、ラッセルはつねに水際立って明快な、少しもあいまいではない文章を書いたのです。香川景樹なら、「これこそ英語の上手」といったことでしょう。

それでもむずかしいのは、なぜか

しかし、本を読んでわかるかわからぬかは、もちろん、つねに本の側にだけ理由があるのではありません。読者の側にもそれなりの理由のあることが多いのです。たとえば、ラッセルを読んで「むずかしい、よくわからない」という人もあるでしょう。また、おそらく禅問答を読んでも、よくわかった気になる人もあるでしょう。むずかしい本を読んで、いや、そもそも本を読んでよくわかる工夫は、読者の側にもなければなりません。その読者の側の条件は、第一には言葉に関し、第二には経験に関しているといってよいでしょう。

文章による表現は、著者のなんらかの経験を、言葉の組合わせに翻訳して、人に伝えようとすることだ、といっていいと思います。これを読者の側からみれば、言葉の組合わせ、つまり、文章を通じて著者の経験を知るということになります。それはちょうど、自動車を運転する人が交差点で赤い信号を見れば、止まらなければならないということを思いうかべ、青い信号を見れば走りだしてもよいということを考えるのに似ています。文章はその信号の複雑になったようなものです。赤は「止まれ」、青は「進め」という信号の機能を心得ていなければ、車は運転できません。同様に、言葉がなにを意味しているかを心得ていなければ、本を読んでわかることはできません。しかし、信号の意味を知っているだけで、車を一度も止めたことのない人、走らせたことのない人は、交差点でどうすることもできないでしょう。運転手は信号の意味を知っていると同時に、実行の経験を持っていなければなりません。同じように、読者は言葉が意味するところを知っているだけでなく、言葉が意味するものがなんなのか、多かれ少なかれ、読者自身の経験に即して知っていなければ、ほんとうに文章を理解することはできないでしょう。一方に言葉、あるいは象徴があります。他方に経験、あるいは象徴されるものがあります。その二つの要素が、本を読むという行為の二つの大きな柱だといっていいでしょう。

まず知っておきたいこと

文章を正確に理解するためには、まず単語の意味を正確に理解していなければなりません。たとえば幾何学を習いはじめる人は、いつでも幾何学で用いられる定義からはじめるわけです。直線とは、平面とは、そういう言葉の定義を決めておいて、それから、その言葉を使って幾何学の複雑な世界が展開します。その展開のはじめから終わりまで、「直線」

という言葉はつねにその定義どおりのものを意味し、けっして、それ以外のなにものも意味しません。もし、用いられている言葉の定義を、一つでも忘れるとすれば、幾何学を理解することは不可能になるでしょう。経済学の場合には、幾何学と同じように厳密に、そこで用いる言葉の一つ一つを定義することは困難であるかもしれません。しかし、使われている言葉の定義を、できるだけ正確に理解し、覚えておくことは、経済学の論文を読んで、わかる、わからないという場合には、決定的な役割を演じるでしょう。

たとえば、「成長率」とはどういうことか、「国民所得」とはどういうことか、また、国によってその言葉の意味するところがどう違うか。そういうことをはっきりさせずに、「高度成長率」や「所得倍増」について、いくらたくさんのページを読んでも、その内容をほんとうに理解することはむずかしいでしょう。

経済学にかぎらず、およそ学問には、その学問の領域のなかでしか使われない特殊な言葉があって、その言葉の意味は、できるかぎり厳密に規定されています。漫然とそれらの言葉をならべて、前後の関係から意味を想像するというだけでは、十分でありません。そういうことを繰り返しながら、たくさんの本を読むのは、かえって不経済なやり方でしょう。

楽譜のことを考えれば、もっとはっきりします。譜記号は、ふつう私たちが日常生活に使っている言葉の体系とは、まったく別の約束から成りたっている、もう一つの象徴の体系です。その記号を覚えれば譜を読むことができるし、指が動きさえすれば、その譜の示すとおりにピアノの鍵をおすこともできるでしょう。しかし、その約束を覚えなければ、楽譜の全体はまったくわけのわからないものです。学問のなかには数学を使うものがあります。数学もまた一種の言葉のようなもので、これを習っていれば問題を正確に読みとることができるし、習っていなければなにもわかりません。

言葉の定義をハッキリさせる

楽譜や数学の式のように、日常生活に使う言葉とまったくかけはなれた表現法の場合には、習って覚えればわかり、習わなければ誰にもわからないというけじめがはっきりしています。しかし、日常使う言葉のなかからいくつかの単語を選びだし、その単語を定義することによって特別な目的に使うという場合には、字面をざっと見るだけではそのけじめがはっきりしません。日本人だから日本語で書いてある本は読めるだろう、ということもあるでしょう。しかし、あたりまえの教養がある日本人が知っている日本語は、日常生活で使う日本語です。特定の学問のために特定のやり方で定義された日本語は、形は似ていても、じつは日常生活で使う日本語とは別のものです。むしろ、楽譜や数学の式に似ているといっていいでしょう。それを覚えればわかるし、覚えなければわからないということになります。本を読んでわかるということの出発点は、なによりもまず、その本のなかに用いられている特殊な言葉の定義を、はっきりと頭に入れる努力を、はじめにしておくことだと思います。定義を理解するためにいくらか時間がかかり、それを覚えこむために、なおさら時間がかかるかもしれません。しかし、一度そうしておけば、その領域でのすべての本を、比較的容易に、比較的正確に読むことができるし、そういう第一歩の手続きをはぶいてとりかかると、いつまで読みつづけていても、つねに隔靴搔痒の感が残り、つまるところ、素人にはなんにもわからないということになりかねないのです。

あいまいな言葉をなくす

しかし、特殊な言葉が定義されて用いられている本は、じつは、かえってわかりやすい本だといっていいでしょう。もう少し一般的な言葉で書かれていて、その大事な言葉の定義が、その本のなかでも、またそのほかのどこでも、はっきり与えられていないことがあります。社会科学的な本にはそういうことが多いし、また雑誌の論文や新聞の社説にはそういうことが多い。以前『朝日新聞』の学芸欄が「あいまいな言葉」という特集をしたことがあります。そこに拾いあげられたあいまいな言葉は、いたるところで使われています。そういう文章や本を理解するには、どうしたらよいでしょうか。「自由」といい、「民主主義」といいます。また「進歩」といい、「反動」といいます。「伝統」とか「文化」とか、——だれでもいちおうわかっているような気がしていて、よく考えてみると、その意味のはっきりしない言葉が、数かぎりなくあります。たとえば「税金でまかなっている大学を、国が管理するのは当然である」というときの「国」は、おそらく政府でしょう。「お国自慢」というときの「国」は、日本国であるにしても、何々県であるにしても、とにかく政府という意味ではないでしょう。日本人は、自分の国のどこを自慢しても、政府だけはけっして自慢しないようです。

とにかく、そういうあいまいな言葉をなんとなくわかったことにして、しかし、あいまいなままに残しておき、さて、そういう言葉を絶えず使いながら行なわれている議論がある。そういう議論を読んでも、その意味は、結局はっきりしてこないでしょう。そうかといって、この場合には、経済学や幾何学と違って、しかるべき辞書を引き、教科書を開いて、明確で一義的な定義を容易に見いだすというわけにはゆきません。もちろん字引をひくことはできるでしょう。しかし字引の説明は、おそらく、あまりはっきりしたものではないでしょう。そういう言葉は、多くの時代に、多くのグループによって、また多くの個人によってさえも、違った意味に使われてきたのです。

じょうずな事典の使い方

たとえば「民主主義」というときに、その言葉の意味は、だれが、それを、いつ、どこで使ったかということによって、意味が違ってきます。ただ一つの定義でそれを片づけるわけにはゆきません。しかし、なんにもしないで、その場の空気に頼っていては、いつまでたっても意味がはっきりしません。なんとか工夫を立ててみる必要があるでしょう。その工夫は、どうも幾何学の場合よりも、はるかに面倒なことにならざるを得ないのです。もう少し「民主主義」の例についていえば、まずなによりも先になすべきことは、とにかく、百科事典で「民主主義」の項目を調べてみることでしょう。そこには言葉のはじめの意味、それから、歴史的にその言葉がどういうふうに使われ、どういう内容をもってきたかということの概略が書いてあるはずです。また、同じような内容を百科事典の項目よりも、くわしく説明した適当な本があるとすれば、その本を少していねいに読んでみるのもよい方法だろうと思います。その次には、「民主主義」というような言葉は、いまの日本では、絶えず目にはいり、耳に聞こえてくるのですから、そのたびごとに、その言葉がどういう意味に使われているかということを考えてみることです。そのとき、百科事典の項目で読んだ知識は、いわば土台として役立つでしょう。

そういうことをしばらく繰り返していると、およそ「民主主義」という言葉の使い方にどういう種類があるかということが、しだいに整理されて頭にはいってくるでしょう。そこで、第三に、もし私たち自身が「民主主義」という言葉を使うとすれば、どういう意味で使うのが一番適当であるかを自分で考えてみることです。あるいは「民主主義」に自分なりの定義を与えようと努めてみることだといってもいいでしょう。どうせ厳密な定義は不可能です。しかし、自分の立場に即して、一定の範囲のなかに言葉の意味を限定することだけは、きっとできるでしょう。もちろん「民主主義」という言葉の自分なりの定義は、同じ言葉を使うほかの人たちのあいだには通用しません。ある一つの本は、その定義で解釈することができるかもしれませんが、しかし、もう一つの本は、その定義では解釈できないでしょう。それでも、そういう自分なりの定義を持っていることは、ほかの人の本を読むときに理解の大きな助けになるはずです。

その場、その場で、これはどういう意味だろうと考えるよりも、それぞれの場合に読者自身の「民主主義」と、著者の「民主主義」との距離を測定するほうが、はるかに操作が簡単で、整理が容易になるはずです。数かぎりなくある「民主主義」という言葉の意味は、いわば一つの意味からの距離にしたがって、頭のなかに配列されるということになります。――もちろん「民主主義」というのは、数かぎりなくある言葉のなかの、ただ一つの例にすぎません。たとえば「自由」について、またたとえば「国家」について、またたとえば「恋愛」について、そういう操作を一度行なっておくことは、その後の読書が、その前とはくらべものにならないほど正確になる。別な言葉でいえば、たいていの本は読んでよくわかるということになります。

さきにも触れたように、信号灯の赤がなにを意味し、青がなにを意味するかを知らないで道路に出るのは危険このうえもないことです。本を読むには、用語の定義をあらかじめ知っておけば、それにこしたことはありません。できあいの一つの定義がない場合には、手間がかかっても、自分で仮の一つの定義をこしらえ、その定義をもとにして、同じ言葉の多くの意味を整理することから出発します。そういうことを心得ておくのは、意味のわからない言葉の呼びさます扇情的な気分に敏感であることよりも、長い目で見れば、おそらく有益なことでしょう。本とか、論文とか、記事のなかに、たとえば「進歩」あるいは「反動」という言葉が出てくるとすれば、まず、「進歩」がなにを意味し、「反動」が具体的にはなにを意味しているかに注意することが大切です。その意味がある程度まではっきりしないうちに、著者が、わが党の士であるか、敵陣営に属するかということに興奮し、熱中し、勇猛心をふるい立たせるのは、壮《そう》はすなわち壮なりといえども、あまり賢明とはいえない。そういう仕方で興奮していると、いつまでたっても気分的に敵味方を直観して、興奮するということを繰り返してゆくほかはありません。せっかく勇猛心をふるい起こすのなら、その勇猛心が見当違いでないほうがいいでしょう。

本が読めなくなるのは、どうしてか

人間はだれでも、小学校から中学校へ、高等学校から大学へ、新入社員から社長へ、年をとってゆくものです。それと同じように、本の読み方も、おのずからそれが積み重ねになるように読まれてゆかなければおかしい。積み重ねというのは、前に読んだ本の知識が、その次の本を読むために役立ち、また、前に本を読んだ経験が、その次の本の読み方を、あるいははやくし、あるいは深くし、あるいは有益にするために役立ってゆくということです。比喩的にいえば、人の成長にともなって、読書生活にも成長のあるのが自然の姿だろうと思います。もし実生活の成長で人が成長し、読書生活のなかで成長が止まるとすれば、その食い違いは、ちょうど、女学生時代の服が卒業後に役に立たなくなるように、読書生活がどこかで止まってしまったに違いありません。その食い違いがあまり大きければ、ある場合は取りかえしがつかなくなり、本を読むことをやめるという結果にもなりかねないでしょう。そういう例が実際にないこともありません。

大学のときに、たとえば『世界』を読み、新入社員のときに『週刊朝日』を読み、勤続十年におよんで、もはや週刊誌を読むことさえ面倒くさくなるという人があるとすれば、そういう人の本の読み方には、そもそものはじめからなにかおかしいところがあって、積み重ねが行なわれていなかったということになるのでしょう。読書生活での積み重ねは、もちろん言葉の問題だけではありません。しかし、言葉の問題はその第一歩です。なぜなら、読書生活での言葉は、いわば大工道具のようなもので、切れない道具でよい仕事のできるはずはありません。積み重ねは、まず第一に、言葉をだんだん自分のものにしてゆくという形で行なわれるので、その次が、経験の積み重ねということになるはずです。

わかったようで「あやふや」なのは、なぜか

ある種の本のなかには、言葉または概念の組合わせだけからできていて、ほとんど人間生活と関係のないものがあります。たとえば、幾何学の教科書はその例になるでしょう。そういう場合には、概念の論理的な組合わせそのものが、いわばその内容にほかならないのですから、一つ一つの概念を正確に理解し、論理を正確にたどれば、原則として、そのすべてがわかるはずです。しかし、一般に大部分の本は、それほど純粋な概念の構成ではなくて、絶えず経験とのあいだに密接なつながりがあります。その経験の重みのもっとも大きい、幾何学とは反対の極端にある本には、たとえば、芸術作品についての芸術家自身や鑑賞者の感想というようなものがあるでしょう。その場合には、言葉の意味を知っているだけでは、ほとんどなんにもわからないということになります。一つの文章から他の文章へ移るのは、多かれ少なかれ、純粋に論理的な秩序にしたがってではなく、いわば経験の秩序にしたがっているからです。「文句の意味はわかるけれども、つまるところ腑に落ちない」というところがあるのは、そういう本についてのことです。

旅行案内記というものがあります。これは読んで、わかりにくいものではない。だれで

も読みさえすれば、文句の意味はわかります。しかし私は京都・奈良へ行くまで、案内記を読み通すことができませんでした。唐招提寺はいつできあがったとか、鑑真和尚《がんじんわじょう》がそこにいたとか、――そういうことは、あの講堂の屋根の反《そ》り、木彫の仏の衣のひだ、白い庭土を照らす真昼の太陽を見たあとでは、かぎりなくおもしろい。しかし見る前にはただ無味乾燥で、とても読みつづけることのできないものでした。また私は旧制高等学校のときに歌舞伎座の立見席に通うと同時に、黙阿弥の名作に読みふけったことを思いだします。舞台への興味があるから、芝居の脚本を読むことができるので、芝居をみないうちは脚本を読むこともできないでしょう。その後、私はフランス文学を読み始めましたが、芝居は読まなかった。現代劇から古典劇までさかのぼって、フランスの芝居を読むようになったのは、パリで劇場に通ってからです。いや、文学だけにかぎりません。医学部の学生だったとき、解剖学教科書でさえも、実習ではんとうの人骨を見ながら参照すると、すべての活字が生きてくる。実習しなかったところを教科書だけで理解し、覚えようとすると、じつにむずかしく、じつに退屈でした。どうも「いわく言いがたし」というところが、たいていの本にはあるようです。人情の機微にかぎらず、人骨の機微においてさえそうなのだから、こちらの経験に通じる本をよく読み、通じない本を無視するほかテがないかと思われます。

他人《ひと》にわかって、あなたにわからないのは、なぜか

たとえば、小林秀雄さん（一九〇二―八三）の『鉄斎《てっさい》』についての一書を読んで、よくわかる人もあり、よくわからない人もあるでしょう。むずかしいと思う人もあり、やさしいと思う人もありましょう。どうして人によってそういうわかり方の違い、むずかしさの違いが出てくるかといえば、それは、小林さんが使っている言葉の定義をどの程度まで正確に知っているかということではなくて、読者がどの程度に「鉄斎」を見ているか、つまり、読者の側での絵を見るという経験の有無、あるいはその深浅によるでしょう。これは幾何学教科書の場合とよほど違った事情です。初等幾何学教科書がむずかしい、またはやさしいというのと、小林さんの『鉄斎』がやさしい、むずかしいというのとは、意味がかなり違っているように思われます。小林さんの『鉄斎』の場合は、読者が一つの文句を読んで、その表現の意味がいちおうわかっただけでは、じつはなんにもわかっていないということになる。（富岡鉄斎、南画家、近代日本画壇の巨匠、一八三六―一九二四）

ほんとうにわかるということは、その文章を読んでただ単におもしろがるというのでな

く、なぜ小林さんが、そこでそういうことを言っているのか、納得がゆくということでしょう。

「なぜこの定理から、この系《けい》が出てくるか」――それは論理の問題であり、論理の問題は言葉で言い表わすことができます。

「なぜこの第一印象のあとに、この感想が出てくるか」――それは論理の問題よりも、著者の経験の質の問題です。

経験の質は、けっして言葉によって十分に表わすことができません。想像するほかはない。想像することができなければ、二つの文章はつながってこないでしょう。

むずかしさをわかる、たった一つの決め手

読者は読みながら、文章を通して、その背景に、うしろ側からその文章を支えている著者の経験を感じなければなりません。しかし、そういうことを感じるためには、読者自身が著者の経験とほとんど同じ種類の経験をあらかじめ持っていなければならないでしょう。ほんとうのむずかしさは、そこにあります。そのむずかしさを乗りこえる道は、ただ一つ、その絵を見て、同じ種類の経験を自分のものにすることだけです。

別な言葉でいえば、幾何学教科書は「理性が万人に等しく分かち与えられている」かぎりで、すべての人に向けられたものです。だれでも落ちついて十分に考え、十分に練習すれば、残るくまなく、そのすべてがわかるはずのものでしょう。しかし、小林秀雄さんの『鉄斎』は万人に向けられたものではなく、「鉄斎」を見たことのある人、あるいは、少なくとも小林さんが「鉄斎」を見たときの経験と同じような種類の経験を、ほかの画家を通じて持ったことのある人だけに向けて書かれたものです。だれにもわかるものではない。本来、わからない人があって当然のものです。読者の立場からいえば、小林さんの『鉄斎』のようなものは、もし「鉄斎」を一度も見たことがなければ、はじめから読まないほうがいいだろうと思います。（もっとも、これは比喩的に言っているので、たとえ「鉄斎」を見たことがなくても、たとえば大雅《たいが》において、セザンヌにおいて、そのほか多くの画家において、ある種の絵を見ることの深い体験を繰り返してきた人なら、かならずしも「鉄斎」そのものを見たことがなくてもよいのかもしれません。詳しくいえば、小林さんの文章に関するかぎり、問題は「鉄斎」そのものではなく「鉄斎」を前にした小林さんの経験であり、その経験の質が読者の経験の質と通じあうかどうかということです。）

決め手はあなた自身がもっている

要するに見たことのない絵に関する本を読むのは、その本がむずかしいか、むずかしくないかというより、原則としては不可能なことでしょう。同じように、聞いたことのない音楽について本を読んでみても、純粋に技術的な意味以外にはたいして意味がないでしょう。しかし逆に、十分に「鉄斎」を見たことのある人にとっては、小林さんの文章は少しもむずかしくないし、おそらく、これほど自然に、これほど容易に納得のゆくものはないかもしれません。小林さんが『モオツァルト』を書いたときに、多くの作曲家たちは、はじめて読んだ小林さんの文章をちっともむずかしいとは思わなかったようです。しかし、小林さんの文芸評論に慣れていた文学青年たちは、ほとんどひとり残らず、あの文章をむずかしいと思ったことでしょう。むずかしいか、むずかしくないかは、まさに文章の側の責任ではなく、読者の側でモオツァルトを聞いたことがあったかどうか、いや、だれでも聞いていたにしても、どの程度に聞いたことがあったかということに帰着する。

なにも小林さんにはかぎりません。また、絵と音楽だけにかぎったことではありません。下世話にも、身につまされるということがあります。私が「経験」という言葉で言っているのは少しもむずかしいことではなく、また特別のことでもない、要するに、ある種の本をわかるということと、身につまされるということとのあいだには密接な関係があるだろうということにすぎないのです。もちろん、身につまされさえすれば、話がすっかりわかったとはいえません。『曾根崎心中』を聞いて、あの三角関係にまったく身につまされる思いがしたというだけでは、浄瑠璃の味を汲みつくしたとはいえないでしょう。しかし、三角関係にかぎらず、また、かならずしも駆落ちの経験にかぎらず、そもそも恋愛の経験が一度もない子どもたちには、おそらく『曾根崎心中』ほどむずかしいものはないでしょう。りこうな子どもならば、もちろん筋はわかります。音楽に敏感な子どもなら、浄瑠璃の節《ふし》も覚えるかもしれません。しかし、そういうことの全体がなぜそこでそうなっているのか、作者にとっても、見物人にとっても、それがどうしてそうならなければならないのかという、肝心なところがぼんやりしてしまうだろうと思います。子どもが『曾根崎心中』を見物するのは、「鉄斎」を見たことのない人が、小林さんの『鉄斎』についての文章を読み、モオツァルトをろくに聞いたことのない人が、モオツァルトについての文章を読むのとまったく同じことです。そこで、むずかしいといっても、いくらかわかるような気がしたといってみても、そういうことにたいした意味はないでしょう。近松は『曾根崎心中』を恋愛の経験のあるおとなのために書きました。小林さんは、鉄斎の絵を見たことのある人のために、モオツァルトの音楽を聞いたことのある人のために書きました。文学・芸術については、およそ、そういうものだろうと思います。

必要な本はむずかしくない

歴史や社会科学の場合には、事情がまったく違ってくるでしょう。しかしまた、幾何学のようなものとも、違う点があるのではなかろうかと思われます。それがどう違うかということを話しはじめると、きりがありませんが、要するに、歴史や多くの社会科学的な仕事は、それが偉大であればあるほど、歴史家や学者の個性につながってくるもので、個性につながってくる以上は、その著者の人間的経験から完全に切り離すことができない。もちろん、歴史的叙述をたどり、社会科学的分析のあとをたどることは、著者の人間的経験の深みまでおりてゆかなくてもいちおうはできることであり、文学・芸術の場合とは違って、それはそれなりに意味のあることでしょう。しかし、たとえばマキァヴェッリの『君主論』に抽象的な言葉で提出されている政治論や社会観は、その背景に、具体的なイタリア文芸復興期の権力闘争と政治闘争の状況があり、その状況のなかで一役を演じたマキァヴェッリ自身の経験があり、その経験からひき出された一種の哲学があるのです。そこまで読まないと——いや、『君主論』はそこまで読まざるを得ないので、著者の経験とその理論とを切り離して考えることはできません。

しかし、経験は特殊な状況のなかで、ある特別な人に、いわば偶然に与えられるものです。だれにでも同じ経験があるとはかぎりません。ある人の経験はマキァヴェッリの経験に通じ、また、ほかのある人の経験は彼の経験に通じないでしょう。だから、立場を異《こと》にする多くの思想があるということにもなるのだろうと思います。他人の書いた本を読んでも、その人と私たち読者とのあいだに同じ質の経験が共有されていなければ、ほんとうの徹底的な理解は、歴史の場合にさえ、また政治学や社会学の場合にさえ、容易に得られないといってよいのではないかと思います。

もし、本がむずかしいとか、やさしいとかいう言葉を使えば、だれにとってもむずかしい本、だれにとってもやさしい本というものは、少ない。それは人によって違うことで、一般に『君主論』はむずかしいともやさしいともいえないのです。もう一歩を進めていえば、私にとってむずかしい本は、私にとって必要でなく、私にとって必要な本は、私にとってかならずやさしい、とさえいえるでしょう。もう少し具体的な例をとってみましょう。

人口の十万分の一にしかわからない本

現代アメリカのパーソンズ(一九〇二―七九)の社会学一般理論は、戦後アメリカで書かれたもっともむずかしい本の一つとして世評に高いものです。もし、あなたがアメリカ人の友人をお持ちならば、パーソンズのことをきいてごらんなさい。十中八九の人は、もちろん、名前も聞いたことがないでしょう。もし、その友人が大学の社会科学系統の学問、たとえば政治学や経済学の専門家ならば、おそらく、「名前は聞いたことがあるが、ああいうわけのわからん本はもちろん読んだことがない」と答えるでしょう。もし相手のアメリカ人が専門の社会学者ならば、おそらく、一度は読んだことがあるに違いありません。そして、大部分は苦笑いをしながら「どうもよくわからなかった」ということでしょう。パーソンズを読んでたいへんおもしろかったという人は、アメリカで十万人に一人もいないでしょう。

そこで、この本はどういうわけでむずかしいか。もし、この本をおもしろく読む工夫があるとすれば、それはどういう種類の工夫だろうか、ということになります。そのむずかしさの性質は、要するに、『君主論』の論じたようなことを、幾何学教科書と同じやり方で論じようとしたところにあるのではないかと思います。そういう本を、やさしくとまではゆかないにしても、少なくとも読んで退屈しない程度にわかりながら読むためには、第一に、幾何学と同じ意味で、すべての言葉の定義を正確に理解し、それを覚え、論理を綿密にたどることが必要です。第二に、それだけではなくて、『君主論』の場合と同じように、たえず具体的な事実を、それぞれのまったく抽象的な叙述の背景に想像し、読みとることが必要でしょう。そういう仕事は、正直のところ、かなり面倒で時間のかかることです。あまり社会学の一般理論というようなものに興味のない方は、そういう面倒な仕事をなさるにはおよばないでしょう。私が、なぜこういう浮世ばなれのした話を持ちだしたかというと、本のむずかしさということには、一方に幾何学教科書があり、他方に小林さんの『モオツァルト』があり、その間に『君主論』のようなものがある。しかしまた、それとは違う形で、こういうむずかしさもあり得るということ、そして、どうしてもそのむずかしさを克服しなければならないという場合には、いったいどういうやり方をすればできるだろうか、という大筋をお話ししてみたいと思ったからです。

そのやり方は、もう少し専門的でない、もう少しむずかしくない本の読み方にも、示唆を与えることになると思います。一般に、抽象的な記述を読んで、その記述がむずかしいと思ったら、その理屈を一つの具体的な場合にあてはめてみたらどうなるだろうか、ということを想像してみるのはよい工夫です。もし、その想像がうまくゆきさえすれば、抽象的な記述だけでむずかしいと思われた本も、にわかにやさしく見えてくるということがあるものです。

たとえば、経済原論の理屈を読みながら、焼芋を思いうかべる。農家の畑、畑での労働と肥料、掘りだした芋が市場に出てくるのに運賃がかかり、焼芋を私たちが食べるときまで、たえずそのことを考えながら、抽象的、一般的な記述を読むとはっきりしてわかりやすいでしょう。

またたとえば哲学。「存在は本質に先行する」——これではなんのことかわからぬ人も多いかもしれません。わかったような気がしても、たしかでない。そういうときに、私は机の上の煙草の箱を手にとって、その煙草の箱の存在が、煙草の箱の本質に先行するとはどういうことかを考えます。私の手に乗っているのは、手の触覚にふれる一箱のものである。ものがまず存在し、そのものの本質が、煙草であるか、商品であるか、固体であるか、を決めるのは私の立場である。「存在は本質に先行する」というのは、ざっとそういうことらしいと合点すれば、それまでなにやらはっきりしなかった言葉の意味が、たちまちはっきりしてくるのです。ひとつの肝どころがはっきりすれば、あとはすらすら、——とまでゆかないにしても、まったくわかりやすくなるでしょう。

親切な著者ならば、著者みずからその想像の鍵を与えてくれています。しかし不親切な著者の場合は与えていないこともあり、また、すぐれた理論家はかならずしも、すぐれた心理学者ではありませんから、読者の想像力を助けるような鍵を、著者が忘れてしまったということもあるでしょう。そういうときには、読者のほうでみずから想像力を働かせなければなりません。鍵が見つかりさえすれば、その瞬間から、わけのわからなかった本がたちまち氷解するようなことは、けっしてまれなことではないのです。たとえば、なにか経営に関する本を読んでいるときに、自分のよく知っている特定の会社の経営を思いうかべながら読めば、ただ抽象的な論理をたどるよりも、はるかにその本がわかりやすくなるでしょう。専門家が、むずかしそうに見える理論的な本を比較的はやく読むことができるのも、論理をたどりながら、同時に思いうかべることのできる具体的な事実をたくさん知っているからにほかなりません。

しかし、なんといっても、ほんとうにむずかしいのは、本を書くことで、書かれた本を読むことではない。新しい考えを思いつくことはだれにもできることではありません。しかし、だれかが思いついたことを理解するのは、原則として、それほどむずかしいことではないでしょう。「コロンブスの卵」ということもあります。それにもかかわらず、むずかしい本というものが、世の中にないわけではありません。

「求めよ、さらば与えられん」

いままで述べてきたことをまとめていえば、第一、むずかしい本の大部分が、香川景樹の言ったように文章がじょうずでないか、あるいは、著者が言おうとすることをみずから十分に理解していないかの、どちらかである。これは読者の責任ではなくて、本のほうが悪い。たとえば、ある種の学生の理論闘争や、通俗禅問答や、また雑誌・新聞にときどき見かける美術批評のようなものです。こういうものは、日本語としてたいへん悪いばかりでなく、たぶん、書いている当人にも、なにを言っているのか、くわしくつきつめれば、はっきりしていないのだろうと察せられます。第二は、悪い本ではなくて、りっぱな本のなかにもむずかしい本があります。しかしそれは、だれにとってもむずかしいのではなく、ある人にはむずかしく、またほかの人にはやさしいのです。「求めよ、さらば与えられん」といいます。求める人が「ロマ書」(新約聖書中の一書)を読めば、「ロマ書」はむずかしくないでしょう。求めない人が読めば、同じ「ロマ書」がむずかしい。文章が悪いのではないし、著者の考えがあいまいなのでもありません。問題は、本の側ではなく読者の側にあるのです。しかし、なぜ、一冊の本が私にとってむずかしいかといえば、その理由は、つまるところ、私がその本を求めていない、べつの言葉でいえば、私にとって少なくとも、いまその本は必要でないという点に帰着するでしょう。要するに、私にとってむずかしい本は、その本が悪い本であるか、不必要な本であるか、どちらかです。私にとって必要であり、よく書かれた本ならば、それがむずかしいということは本来ないはずだろうと思われます。「むずかしい本をよくわかる法」は、ないかもしれません。私たちにとって「必要なすべての本をよくわかる法」だけがあるのです。

あとがき、または三十年後

一九六〇年の春、岸内閣の安保条約改訂に反対する大衆運動がまきおこって、東京の街は騒然としていました。その頃ある出版社(光文社)が私に、高校生へ向けて「読書術」という本を書かないか、書けば新書版の「ベストセラー」にしてみせる、といいました。私はそれまで売れない本を何冊か書いていて、そういう本を書くことにくらべれば、「ベストセラー」を作ることなどははるかに容易である、と豪語していたのですが、口先だけではなく、実際にそれができたら面白かろう、と考えました。それで私は「読書術」を口述することにし、口述筆記に手を入れて本を作り、そのために一カ月以上の時間は投じない、という方針を決め、口述の後、その年の秋にカナダへ出かけてしまいました。

カナダでの私は忙しくて、送ってきた口述筆記を読みなおして整理する暇がなく、しばらくそのままにしておいて、やっと原稿を作りまえがきを書いたのが、一九六二年です。口述と併せて使った時間は、たしかに一カ月以内でしたが、「ベストセラー」の話は半信半疑、というよりもなかば冗談のつもりでした。ところが意外にも、この本が「ベストセラー」になり、その後何十年も版を重ねて、普及するようになりました。光文社版の『読書術』です。

しかるに最近、岩波書店の同時代ライブラリーに『読書術』を入れてはどうか、という話が書店の側からもちあがり、あらためて読み返してみると、三十年前の私の議論の大筋は今でもそのまま通用するというか、今の私が三十年前の私に賛成できる話のように思われました。それならば、出版社が変って、新しい読者も得られるだろう、と考え、はじめに本を作った光文社が承諾してくれるという条件で、私は岩波書店の提案を受け入れました。そうして出来上ったのが、この岩波版『読書術』です。

その後今日まで三十年の間には何があったでしょうか。米国はヴィエトナム戦争をし、日本は経済的に高度成長をしました。中国では「文化大革命」がおこり、日本では米国との間の経済マサツがおこりました。またソ連邦は解体し、日本の自民党支配体制はいよいよ安定し、世界は米ソの対立する「冷戦」の時代から、唯一の超大国米国の号令する時代へ移ってきました。私自身は——それは私の後半生ということになるわけですが——、日本で暮らすと同時に、北米やメキシコ、英仏独伊スイスなどのヨーロッパ諸国を渡り歩いて暮らすようになりました。その間にいちばん多く訪ねた外国は、中国です。

　三十年前の『読書術』の議論の要点は今変える必要がないとしても、議論の例として引いた世の中の出来事のなかには、今では古くなり、多くの読者にとってはわかりにくくなったものが少なくないようです。たとえばソ連邦についての話などは、今ソ連邦が存在しないので、今日の話として適当ではないでしょう。そういう例は、今度の本で、できるだけ削り、いくらか表現を変えたり、別の例とさしかえたりしたところもあります。しかしそれは部分的な、例としてあげた出来事に係わる点に限られていて、大筋は全く変っていません。そもそも「読書術」なるものが、三十年やそこらで簡単に変るはずもないのです。

　今読み返してみて、書き足すことがあるでしょうか。書き足せばきりがないということもあり、あまり書き足せば別の本になってしまうということもあって、私は本文には一切書き足しをしないことにしました。しかしこの「あとがき」のなかで、その後感じたことを二つだけつけ加えておきます。その一つは、外国での読書についてです。近頃外国で暮らす人もふえてきたので――これからそうするかもしれない読者も含めて――、いくらか参考になるかもしれません。もう一つは、この本のなかで私があまり強調しなかった読書の愉しみということです。本を読むのは、もちろん、愉しみのためとはかぎりません。しかしそれは愉しみのためでもあり得ます。人生を愉しむにはさまざまの仕方があり、本を読むのもその一つ。娯楽という面からみれば、読書にはどういう特長があるでしょうか。娯楽としての読書の効用という話です。

外国での読書

短い外国旅行ならば、出かけるときに読みたい本を持ってゆけばよいでしょうが、滞在が長くなると、そうはゆきません。殊に日本での新刊書ということになると、特別に送ってもらう他に手に入れることのできないのが普通です。よほど特別の大都会でないかぎり、そもそも町の本屋では日本語の本を売っていません。本屋にあるのは、あたりまえの話ですが、その国の言葉で書かれた本ばかりです。そこで日本語の本を外国で読むにはどうしたらよいでしょうか。

もし滞在する町に大きな大学があれば、その大学には日本研究科があります。北京でも、パリでも、英国のケンブリッジでも、米国マサチューセッツ州のケンブリッジでも。日本研究科には必ずかなり多くの日本の図書があり、大学によっては中央図書館に大がかりな日本語の本の蒐集があります。しかしそういう図書館がもっているのは、主として古典であり、最新刊の本は少ない。大学図書館を使って日本語の本を読むのに便利なのは、新刊書ではなくて古典です。私は外国暮しの間に、日本語の新刊書をほとんど読まなかったけれど、日本文学の古典をおおいに読みました。カナダのヴァンクーヴァーに住んでいたときには、ブリティッシュ・コロンビア大学の図書館で、米国のコネティカット州ニュー・ヘヴンに暮らしていたときには、イェイル大学の中央図書館で。どちらの大学でも私は教師をしていたので、少なくとも日本文学の古典に関するかぎり、便利この上もなく、東京にいるときよりも容易に好きな本をいつでも見ることができたのです。

もちろん誰でも大学の教師を商売にしているわけではありません。しかし教師でも留学生でも図書館の利用については変りがないでしょう。また大学と直接に係わらない仕事をしていても、適当な手続きをとれば大学図書館を利用することができるはずです。日本語の読むに値する本は、そこにあります。なにも最新刊の「ベストセラー」のガラクタを――この本がそうでないことを望みますが――、無理をしてまで読むことはない。それでは時勢におくれるでしょうか。いや、おくれても、いいのではないでしょうか。どうせ日本国の時勢はめまぐるしく変るのですから、帰国する頃にはまた別の時勢になっているでしょう。とにかく日本語の本については、外国暮しの間に古典に集中するのが、いちばん効率のよいことだろう、と私は思います。

そして町の本屋ではその国の本の面白そうなものを物色する。この方はいくらでもあるはずです。容易に手に入るから便利だというだけではなく、たとえば英国の本は、――いや、一般にそうはいえないかもしれませんが、少なくとも英国の文学は、英国で読んだ方が面白いでしょう。シャーロック・ホウムズの話を、日本語訳で東京で読めば、単なるむかしの探偵小説にすぎません。英国で読めば、そのなかに出てくる街角や荒野や豪邸の描写が、見たことのある風物の記憶をいきいきと甦らせるものとなり、登場人物の風釆や語り口が、たちまち知人の何人かを想い出させるものとなるでしょう。探偵の抽象的な、多かれ少なかれ現実から遠い推理の面白さだけではなくて、味わい深い環境のなかでの魅力ある人物の心理的な面白さが、そこにあらわれてきます。その土地の自然と文化、歴史と社会は、またその土地の言葉と結びついています。だから私は英国では英国の小説を、フランスではフランスの本を読むのです。古典から新刊書まで。新刊書は英国でも、フランスでも、また他の国でも、沢山あって、わざわざ日本の新刊書をとりよせなくても、そこから十分な情報と知的刺戟を得ることができます。

読書の愉しみ

これはひとりでできる愉しみです。碁を打つには相手がいる。野球を愉しむには自分の他に少なくとも十七人の賛同者が必要でしょう。そういう愉しみは、いつでもどこでも、というわけにゆきません。道具や、設備や、場合によっては途方もなく広い場所がなければ、どうにもならない。読書の方は、設備も要らず、どこかへ出かけるにも及ばず、相手と相談もせず、気の向くままにいつでもどこでもできます。蛍の光窓の雪というのは、貧富の差が大きく、燈火用の油の値だんが貧乏人に高すぎたむかしの話です。今は電気がいたるところにあるので、誰でも、望めば昼となく夜となく好きな本を読むことができるでしょう。こんな便利な娯楽はめったにありません。

しかも当方の体力とはほとんど関係がない。老人子供、病人でも、多くの場合には、それぞれ読んで愉しめます。疲れているときでも、易しい疲れない本を選びさえすればよい。しかもカネがかからない。本が高くなったといっても、どこかの「ファミリー・レストラン」で二、三度食事をする値だんで、大抵の本は買えます。それでも買えないほど高い本は、公共図書館にあり、そこから借りればタダですむでしょう。こんなに安くて便利な愉しみを知らぬ人がいるとすれば、その気の毒な人に同情しなければなりません。

「オーディオ・ヴィジュアル」の情報が、活字情報を駆逐する時代が来た、という人がいます。しばらく前にマクルーハンというハッタリ屋が、そういうデマをとばして、大勢の、あまりアタマのよくない人々をだましたのは、その例です。「ヴィジュアル」とは視覚的ということで、たとえば肖像写真が一人の男または女の顔を示すのは、「ヴィジュアル」な情報です。しかしその他の誰ともちがう顔の特徴を言葉であらわすのは容易なことではありません。肖像写真は、活字の何十ページ、いや、おそらく何百、何千ページに相当する情報を一挙に伝えることができます。しかしその男または女が、昨日はソバを食べた、明日はウドンを食べるだろう、という活字の一行に相当する情報を伝えることはできません。肖像写真は人物の顔の現在であって、過去も、未来も、表現できない。「ヴィジュアル」な情報と言葉による情報(その一つが活字情報)とは、互いに他を補うので、一方が他方を駆逐するのではないし、一方が他方に代るのでもありません。

言葉は耳で聞くこともできます。耳で聞くのが「オーディオ」。活字の文章は、声に出して読んでテープレコーダーに記録することができるでしょう。しかしそうすることが便利な場合と、不便な場合があります。活字の文章でなく音楽の記録ならば、あきらかにテープレコーダーが便利な道具です。六法全書をテープレコーダーに吹きこむのは、あまりに不便だから、誰もしないことです。要するに活字の時代の後に「オーディオ・ヴィジュアル」の時代が来たのではなく、活字情報に「オーディオ・ヴィジュアル」の情報が加わった、というだけのことです。どちらも愉しめばよいので、どちらか一方だけを選ぶ必要は全くありません。

それでは読書そのものに、どういう種類の愉しみが伴うでしょうか。それは人により、本によってちがうでしょう。もし共通の愉しみがあるとすれば、それは知的好奇心のほとんど無制限な満足ということになるかもしれません。どういう対象についても本は沢山あり、いもづる式に、一冊また一冊といくらでも多くのことを知ることができます。世の中には好奇心を刺戟する対象が数限りなくあるでしょうから、対象を移して、好奇心の満足を拡げてゆくこともできるでしょう。読書の愉しみは無限です。時間をもて余してすることがない、といっている人の心理ほどわかりにくいものはありません。人生は短く、面白そうな本は多し。一日に一冊読んでも年に三百六十五冊。そんなことを何十年もつづけることは不可能で、一生に一万冊読むのもむずかしいでしょう。それは、たとえば東京都立中央図書館の蔵書一五〇〇万冊以上の一％にも足りないということです。面白そうな本を読みつくすことは誰にもできないのです。

すべての本は特定の言語で書かれています。日本で出版される大部分の本の場合には、日本語です。本を沢山読むということは、日本語を沢山読むということであり、日本語による表現の多様性、その美しさと魅力を知るということでもあるでしょう。私は本を読んで日本語の文章を愉しんできました。それも読書の愉しみの一つです。

著　者

一九九二年師走　東京で

本書は、一九六二年十月光文社より刊行された。
底本には同時代ライブラリー版(一九九三年、
岩波書店)を使用した。

読書術

2000年11月16日　第1刷発行
2024年12月25日　第27刷発行

著　者　加《か》藤《とう》周《しゅう》一《いち》

発行者　坂本政謙

発行所　株式会社　岩波書店
〒101-8002　東京都千代田区一ツ橋2-5-5

案内 03-5210-4000　営業部 03-5210-4111
https://www.iwanami.co.jp/

印刷・精興社　製本・中永製本

ISBN 978-4-00-603024-7　　Printed in Japan

岩波現代文庫創刊二〇年に際して

二一世紀が始まってからすでに二〇年が経とうとしています。この間のグローバル化の急激な進行は世界のあり方を大きく変えました。世界規模で経済や情報の結びつきが強まるとともに、国境を越えた人の移動は日常の光景となり、今やどこに住んでいても、私たちの暮らしは世界中の様々な出来事と無関係ではいられません。しかし、グローバル化の中で否応なくもたらされる「他者」との出会いや交流は、新たな文化や価値観だけではなく、摩擦や衝突、そしてしばしば憎悪までをも生み出しています。グローバル化にともなう副作用は、その恩恵を遥かにこえていると言わざるを得ません。

今私たちに求められているのは、国内、国外にかかわらず、異なる歴史や経験、文化を持つ「他者」と向き合い、よりよい関係を結び直してゆくための想像力、構想力ではないでしょうか。

新世紀の到来を目前にした二〇〇〇年一月に創刊された岩波現代文庫は、この二〇年を通して、哲学や歴史、経済、自然科学から、小説やエッセイ、ルポルタージュにいたるまで幅広いジャンルの書目を刊行してきました。一〇〇〇点を超える書目には、人類が直面してきた様々な課題と、試行錯誤の営みが刻まれています。読書を通した過去の「他者」との出会いから得られる知識や経験は、私たちがよりよい社会を作り上げてゆくために大きな示唆を与えてくれるはずです。

一冊の本が世界を変える大きな力を持つことを信じ、岩波現代文庫はこれからもさらなるラインナップの充実をめざしてゆきます。

（二〇二〇年一月）

S322
菌世界紀行
―誰も知らないきのこを追って―
星野保

大の男が這いつくばって、世界中の寒冷地にきのこを探す。雪の下でしたたかに生きる菌たちの生態とともに綴る、とっておきの〈菌道中〉。〈解説〉渡邊十絲子

S323-324
キッシンジャー回想録 中国(上・下)
ヘンリー・A・キッシンジャー
塚越敏彦ほか訳

世界中に衝撃を与えた米中和解の立役者であるキッシンジャー。国際政治の現実と中国の論理を誰よりも知り尽くした彼が綴った、決定的「中国論」。〈解説〉松尾文夫

S325
井上ひさしの憲法指南
井上ひさし

「日本国憲法は最高の傑作」と語る井上ひさし。憲法の基本を分かりやすく説いたエッセイ、講演録を収めました。〈解説〉小森陽一

S326
増補版 日本レスリングの物語
柳澤健

草創期から現在まで、無数のドラマを描ききる日本レスリングの「正史」にしてエンターテインメント。〈解説〉夢枕獏

S327
抵抗の新聞人 桐生悠々
井出孫六

日米開戦前夜まで、反戦と不正追及の姿勢を貫きジャーナリズム史上に屹立する桐生悠々。その烈々たる生涯。巻末には五男による〈親子関係〉の回想文を収録。〈解説〉青木理

S328
人は愛するに足り、真心は信ずるに足る
―アフガンとの約束―
中村　哲
澤地久枝(聞き手)

戦乱と劣悪な自然環境に苦しむアフガンで、人々の命を救うべく身命を賭して活動を続けた故・中村哲医師が熱い思いを語った貴重な記録。

S329
負け組のメディア史
―天下無敵　野依秀市伝―
佐藤卓己

明治末期から戦後にかけて「言論界の暴れん坊」の異名をとった男、野依秀市。忘れられた桁外れの鬼才に着目したメディア史を描く。〈解説〉平山　昇

S330
ヨーロッパ・コーリング・リターンズ
―社会・政治時評クロニクル 2014-2021―
ブレイディみかこ

人か資本か。優先順位を間違えた政治は希望を奪い貧困と分断を拡大させる。地べたから英国を読み解き日本を照らす、最新時評集。

S331
増補版 悪役レスラーは笑う
―「卑劣なジャップ」グレート東郷―
森　達也

第二次大戦後の米国プロレス界で「卑劣な日本人」を演じ、巨万の富を築いた伝説の悪役レスラーがいた。謎に満ちた男の素顔に迫る。

S332
戦争と罪責
野田正彰

旧兵士たちの内面を精神病理学者が丹念に聞き取る。罪の意識を抑圧する文化において豊かな感情を取り戻す道を探る。

S333
孤塁
—双葉郡消防士たちの3・11—
吉田千亜

原発が暴走するなか、住民救助や避難誘導、原発構内での活動にもあたった双葉消防本部の消防士たち。その苦闘を初めてすくいあげた迫力作。新たに「『孤塁』その後」を加筆。

S334
ウクライナ 通貨誕生
—独立の命運を賭けた闘い—
西谷公明

自国通貨創造の現場に身を置いた日本人エコノミストによるゼロからの国づくりの記録。二〇一四年、二〇二二年の追記を収録。〈解説〉佐藤 優

S335
「科学にすがるな!」
—宇宙と死をめぐる特別授業—
佐藤文隆
艸場よしみ

「死とは何かの答えを宇宙に求めるな」と科学論に基づいて答える科学者vs.死の意味を問い続ける女性。3・11をはさんだ激闘の記録。〈解説〉サンキュータツオ

S336
増補 空疎な小皇帝 「石原慎太郎」という問題
斎藤貴男

差別的な言動でポピュリズムや排外主義を煽りながら、東京都知事として君臨した石原慎太郎。現代に引き継がれる「負の遺産」を、いま改めて問う。新取材を加え大幅に増補。

S337
鳥肉以上、鳥学未満。
—Human Chicken Interface—
川上和人

ボンジリってお尻じゃないの? 鳥の首はろくろ首!? トリビアもネタも満載。キッチンから始まる、とびっきりのサイエンス。〈解説〉枝元なほみ

2024.12

S338-339
あしなが運動と玉井義臣（上・下）
—歴史社会学からの考察—
副田義也
日本有数のボランティア運動の軌跡を描き出し、そのリーダー、玉井義臣の活動の意義を歴史社会学的に考察。〈解説〉苅谷剛彦

S340
大地の動きをさぐる
杉村新
地球の大きな営みに迫ろうとする思考の道筋と、仲間とのつながりがからみあい、研究は深まり広がっていく。プレートテクトニクス成立前夜の金字塔的名著。〈解説〉斎藤靖二

S341
歌うカタツムリ
—進化とらせんの物語—
千葉聡
実はカタツムリは、進化研究の華だった。行きつ戻りつしながら前進する研究の営みと、カタツムリの進化を重ねた壮大な歴史絵巻。〈解説〉河田雅圭

S342
戦慄の記録 インパール
NHKスペシャル取材班
三万人もの死者を出した作戦は、どのように立案・遂行されたのか。牟田口司令官の肉声や兵士の証言から全貌に迫る。〈解説〉大木毅

S343
大災害の時代
—三大震災から考える—
五百旗頭真
阪神・淡路大震災、東日本大震災、熊本地震に被災者として関わり、東日本大震災の復興構想会議議長を務めた政治学者による報告書。〈緒言〉山崎正和

S344-345
ショック・ドクトリン(上・下)
―惨事便乗型資本主義の正体を暴く―
ナオミ・クライン
幾島幸子
村上由見子訳

戦争、自然災害、政変などの惨事につけこみ多くの国で断行された過激な経済改革の正体を鋭い筆致で暴き出す。〈解説〉中山智香子

S346
増補 教育再生の条件
経済学的考察
神野直彦

日本の教育の危機は、学校の危機だけではなく、社会全体の危機でもある。工業社会から知識社会への転換点にある今、真に必要な教育改革を実現する道を示す。〈解説〉佐藤 学

S347
秘密解除 ロッキード事件
―田中角栄はなぜアメリカに嫌われたのか―
奥山俊宏

田中角栄逮捕の真相は？ 中曽根康弘と米政府との知られざる秘密とは？ 秘密指定解除が進む当時の米国公文書を解読し、戦後最大の疑獄事件の謎に挑む。〈解説〉真山 仁

S348
「方言コスプレ」の時代
―ニセ関西弁から龍馬語まで―
田中ゆかり

「方言」と「共通語」の関係はどう変わって来たのか。意識調査と、テレビドラマやマンガの分析から、その過程を解き明かす。大森洋平氏、吉川邦夫氏との解説鼎談を収録。

S349
サンタクロースを探し求めて
暉峻淑子

なぜサンタクロースは世界中で愛されるのか。絵本『サンタクロースってほんとにいるの？』の著者が、サンタクロース伝説の謎と真実に迫る。〈解説〉平田オリザ

S350
ジャーニー・オブ・ホープ
―被害者遺族と死刑囚家族の回復への旅―

坂上 香

殺人事件によって愛する家族を失った／失うかもしれない人びとが語り合う二週間の旅。この旅に同行し、取材した渾身のルポルタージュ。四半世紀後の現状も巻末に加筆。

S351
時を刻む湖
―7万枚の地層に挑んだ科学者たち―

中川 毅

国境を越えた友情、挫折と栄光…。水月湖が過去5万年の時を測る世界の「標準時計」となるまでを当事者が熱く語る。
〈解説〉大河内直彦

2024. 12